E = MC², MON AMOUR

De son vrai nom Claude Klotz, Patrick Cauvin est né le 6 octobre 1932 à Marseille et décédé le 13 août 2010. Après des études de philosophie, il a été appelé pendant la guerre d'Algérie. Enseignant dans le secondaire, il se lance dans l'écriture avec des romans policiers (notamment la série des *Reiner*) ou des pastiches de films d'épouvante et de films d'action. C'est néanmoins sous le nom de Patrick Cauvin qu'il connaît la célébrité. La plupart de ses livres ont été portés à l'écran.

D0533302

Paru dans Le Livre de Poche :

BELANGE

BELLES GALÈRES

HAUTE-PIERRE

MONSIEUR PAPA

PYTHAGORE, JE T'ADORE

TOUT CE QUE JOSEPH ÉCRIVIT CETTE ANNÉE-LÀ

VENGE-MOI !

PATRICK CAUVIN

$$E = mc^2$$
mon amour

ROMAN

JC LATTÈS

Toute ressemblance, de quelque nature que ce soit, avec des personnes existant ou ayant existé serait fortuite et involontaire.

© Editions Jean-Claude Lattès, 1977.
ISBN : 978-2-253-03119-2 – 1ʳᵉ publication LGF

I

L'année scolaire se tire des pattes.

Trois jours et c'est juillet.

C'est fini, on ne fait plus que des belotes dans le fond des salles, Mahmoud fume dans son casier et Léonore compulse son catalogue des Trois Suisses derrière son écran de cahiers. Ses yeux mous ne brillent que devant les photos d'aspirateurs, elle est moche.

Moi, ça va, je passe en cinquième les doigts dans le nez because je suis le meilleur, le plus fort, le plus génial, le plus tout, bref, le caïd. Bingo.

Autant le dire tout de suite, ça fera gagner du temps — et de toute manière on s'en aperçoit vite —, je suis intelligent, super même.

Pourtant, c'est pas l'hérédité qui explique le phénomène. Il suffit d'entendre Marcel discuter politique avec le speaker de la deuxième chaîne pour que les mecs qui me connaissent se demandent si c'est bien mon père. C'est le seul type que j'aie vu discuter avec un speaker de télévision, et même aujourd'hui je ne m'y habitue pas... « T'as la bonne place, toi, hein ? T'as l'air de t'en foutre pas mal qu'il y ait quatre-vingt-dix-sept morts pendant le week-end, hein ? » L'autre continue, forcément, impassible, et ça énerve Marcel Michon. Bref, pour dire jusqu'où ça va comme niveau intellectuel, un soir qu'il l'avait engueulé plus fort qu'à l'ordinaire et que l'autre Zitrone restait tout souriant, je l'ai entendu murmurer : « C'est ça, c'est ça, fais semblant de rien entendre... » Il est pourtant vaguement contremaître à l'ancienneté, ce qui montre bien que les diplômes c'est pas grand-chose. Ma mère, c'est pas lumineux non plus, mais elle, c'est l'intestin. Elle le dit d'ailleurs : « C'est l'intestin. » Elle explique tout comme ça. Par exemple, quand on va chez des parents et qu'il y a ces sortes de fêtes tartignoles avec de la sauce dans les assiettes et que les bonnes femmes sont allées la veille chez le coiffeur, quand tout le monde rigole, elle, elle reste complètement pincée avec sa tête jaune qui fait des plis et Marcel lui dit : « Ça va, maman ? » Elle répond toujours : « C'est l'intestin. »

Bref, c'est difficile à expliquer les raisons de mon intelligence, je m'en étonne moi-même. Bingo.

Physiquement, je dois dire qu'il y a des moments où, suivant l'angle, je suis pas mal réussi comme mec. Ce qu'il y a, c'est que si l'on veut à tout prix me coller dans une catégorie, je serais plutôt dans les menus. Pas fluet, mais menu. En deux mots, j'ai rien de la grande carcasse, mais je me rattrape avec mon visage qui est assez joli, comme me l'a dit un jour Léonore derrière la porte des waters. Parfois, je m'examine et, de trois quarts, en plissant les yeux comme si je fumais, en écartant les narines, je trouve que je fais Robert Redford enfant.

Parce que j'ai vu tous ses films, à Redford, et quatre fois de suite chacun, même ceux qui étaient interdits aux moins de treize ans, parce qu'avec Londet, on passe en douce.

Ça, j'expliquerai plus tard.

Le record c'est *La Kermesse des aigles*. Cinq fois en une semaine. Je connais tout par cœur, je pourrais réciter tous les dialogues en anglais. C'est pour ça, d'ailleurs, que je suis le preu en première langue, c'est à cause de la V.O. et de Robert Redford. Les autres minables tarés qui disent : « Ouah, beurk, hé ! les mecs, hé ! ça cause en englishe, on se barre, on va voir

Belmondo », eh bien, ça, c'est des types qui ne réussiront pas dans la vie, ou alors bêtement, comme Marcel Michon.

Donc, physiquement, je suis assez content dans l'ensemble, bien que j'aimerais être plus baraqué ; j'ai les mollets costauds à cause du foot, mais le biceps reste un peu faible et puis je préfère bouquiner ou aller au ciné et, ça aussi, ça montre bien que je suis plutôt un intellectuel. Bingo.

Ce qui le montre aussi, c'est qu'il y a un truc que j'aime bien faire depuis tout petit, les bilans.

A chaque fin d'école, ça me prend ; au cours préparatoire déjà, avec la mère Chauvin, je faisais le bilan de l'année. Pourtant à six ans on n'a pas grand-chose à se rappeler, eh bien, moi si, quand même, j'ai toujours eu l'impression qu'il m'arrivait des tas de trucs. Alors, en avant pour le bilan.

D'abord côté sentimental, je dois avouer que c'est assez maigre. Evidemment, il y a bien le derrière à Léonore, mais c'est plutôt intensément sexuel qu'autre chose, parce que le cœur ne participe pas à l'aventure ; je sais bien qu'elle voudrait être ma poule et qu'on s'envoie des billets et des bisous à travers la vitre, mais moi, je ne peux pas. Je la vois déjà avec ses bigoudis et ses pantoufles à pompons des Trois Suisses. Donc, il y a quand même Léonore, mais c'est vraiment pour remplir la colonne que je l'écris.

En fait, et c'est quand même drôlement important parce que c'est le cœur qui parle, j'ai été amoureux depuis février et peut-être que ce n'est pas encore totalement fini. Bingo.

Il faut que je raconte dans les détails, ça s'est passé au Royal Casino. Ils jouaient un film terrible avec Marilyn Monroe, et moi, forcément, je fonce parce qu'on a beau dire, on n'échappe pas à son destin.

Donc, c'est le film : la mère Marilyn commence à faire des trucs avec la bouche, des petits soupirs, des petits ronds, des bulles, elle glisse les yeux partout, mais moi je m'en foutais déjà pas mal de toutes ses manigances : j'étais rivé sur l'autre.

Hypnotisé.

Une brune avec l'air tout doux et rigolote en même temps, pas du tout le genre à lire les Trois Suisses et à tripoter des mecs dans les waters. Toute gentille en plus, parce que dans tout le film elle essaie d'empêcher l'autre tarte de Marilyn de faire des conneries. Enfin, bref, ça s'explique pas, là j'ai éprouvé l'amour.

Toujours grâce à Londet, j'ai pu revenir dans la semaine et j'ai dû voir le film encore plus de fois que *La Kermesse des aigles*.

Jane. Elle s'appelle Jane. Complètement américaine, la nana.

Evidemment, je ne l'ai dit à personne. A qui j'aurais pu le dire ? A Marcel toujours occupé à discuter le bout de gras avec son écran télé ? A Françoise et ses intestins en marmelade ? J'ai bien senti que c'était impossible que je me marie avec Jane Russel et je peux dire que j'ai passé quelques heures sombres parce que, dès le début, tout nous a séparés. Elle en Amérique et moi à La Garenne (on habite La Garenne, derrière la gare, le coin des pavillons), et pour aller la voir à Hollywood, inutile d'ajouter que ça posait des problèmes. Et puis il y a la différence d'âge, j'aurais eu besoin d'une dispense mais on ne l'accorde que si elle avait attendu un enfant, et faire un enfant à Jane Russel, je n'aurais peut-être pas osé, par respect.

Mais tout ça n'était pas le plus important, ce qui m'a embêté le plus, c'est la différence de taille ; j'ai quatre photos d'elle dans mon tiroir du bas, Londet les a piquées dans le hall et me les a refilées, et je sais ce que ça m'a coûté comme chewing-gum : un max. Eh bien, c'est une vraie géante, cette femme. On la voit au milieu d'une quinzaine de malabars en slip, tous bien plus mastards que moi, eh bien, elle a la tête de plus que le plus grand. Alors, là, je peux dire que j'ai su ce qu'était la souffrance. C'est terrible de pas se sentir à la hauteur. J'espère que l'hérédité jouera plus que pour l'intelligence et que je vais grandir assez vite pour être aussi haut que Marcel Michon, mais ce qui m'embête, c'est que je ne pousse pas rapide.

Peut-être est-ce que je l'aime moins aujourd'hui, mais j'en ai fait des rêves avec Jane ! Je m'étais donné quatre ans. A quinze ans, je trouvais de l'argent et je m'envolais pour la Californie, je fonçais à Hollywood, je servais dans un bar parce qu'il faut gagner sa vie et, un soir, au milieu d'un groupe de types en habit, avec des cheveux collés au cirage et tous la même gueule prétentieuse, qui je vois, avec ses diamants, ses fourrures et cette robe lamée dont elle essaie de sortir à chaque pas ?

Jane Russel.

Bingo !

C'est bien elle : son œil malin et doux, son sourire ironique dans sa belle tête un peu rectangulaire, je m'approche, et à quinze ans j'ai trente centimètres de plus qu'elle et nos yeux se croisent de bas en haut.

Ça dure.

Toutes les têtes prétentieuses se sont tournées vers nous, tous ont compris qu'il se passe quelque chose et commencent à s'éloigner en douce, et voilà l'orchestre qui joue notre air favori.

« Vous n'êtes pas un vrai barman, n'est-ce pas ? »

Ses cheveux me chatouillent le menton, nous dansons, seuls sur la piste.

« Français, peut-être ? »

Je ne réponds pas, prolongeant le mystère. L'orchestre joue de la musique rose.

« Gary, dit-elle, je savais qu'un jour je te retrouverais. Comme tu es fort ! »

Je sens sa main sur mon biceps contracté et je souris négligemment.

« Pleure pas, Jane, dis-je, tu peux toujours retourner à notre ranch si tu veux, nos enfants t'y attendent. »

Elle sanglote dans mes bras un vache de coup et

nous partons en carriole comme la mère Kelly dans *Le Train sifflera trois fois* que j'ai vu quatre fois. Bingo.

A part donc Léonore Parambot et Jane Russel, l'année a été plutôt creuse côté sentiment, et plus je m'avance dans la vie, plus je me rends compte qu'il n'y a vraiment que cela qui compte pour un homme : être aimé. Tout le reste, c'est bien sympathique, mais ça ne va pas jusqu'au fond du problème.

Côté positif du bilan, j'ai quand même pas mal de choses à mon actif et d'abord une liste de peloches que si je commençais ici, j'en aurais pour dix pages. Je crois bien que je les ai toutes vues et certaines plusieurs fois comme j'ai déjà eu le plaisir de le dire. A part *La Kermesse des aigles*, j'en ai vu des tas d'autres avec Bronson, Coburn, tous les Américains. Je vais jamais voir un film français parce qu'au bout de trois minutes je bâille. Si l'on suppose que je suis encore un enfant, je peux dire que les Français ne savent plus faire des films pour enfants, mais on aura le temps de reparler de tout ça.

Côté école, rien de particulièrement rigolo. Ça, on s'en sera douté. Je suis le premier en tout, parce que je suis assez costaud du crâne, mais il faut dire que plus je connais de profs, plus j'aime les vacances. La mère de L'Amirant en particulier me produit un drôle d'effet (c'est la prof de géo). Chaque fois que je la vois, j'ai envie d'une mitrailleuse lourde. C'est une femme à gros cul et à petits mollets. Toute en contraste. Et en plus, une passion pour les zéros. Chaque fois qu'elle peut en coller un, ça lui fait de la mousse au coin des lèvres. Avec Londet, on a inventé des supplices pour elle. Londet les a notés sur son cahier de cent pages et on l'a presque rempli. Bingo.

C'est dur de faire un bilan : Jane Russel d'un côté, la de L'Amirant de l'autre.

Beaucoup de films dans une colonne, l'école dans l'autre, je ne sais pas où penche la balance et si, dans l'ensemble, l'année a été bonne ou mauvaise.

Avec les vieux, il y a des hauts et des bas et on ne

peut pas dire que ce soit le pied, à tel point que, certains soirs, je souhaiterais presque avoir un frangin ; je suis pourtant farouchement individualiste, comme tous les types de génie, mais avec un frère je pourrais au moins causer parce que le Marcel, ce n'est pas le minimiser que de dire qu'on en a vite fait le tour. Quant à Françoise, elle préfère s'écouter glouglouter plutôt que de faire la conversation, et côté câlins je suis plutôt sevré, mais, grâce à un équilibre exceptionnel (voilà le genre de formule que j'adore), je compense ce manque d'affectivité par une intense activité cérébrale, ce qui veut dire que je lis beaucoup et que je pense énormément.

Côté innovation, j'ai tâté du whisky-soda : sympathique, mais rien d'exceptionnel ; du corona gros module : légèrement trop fort et un peu long à finir ; du rock-rétro : Vince Taylor surfait, mais Cochran inimitable ; de la psychanalyse : Freud génial, mais aussi long à terminer que le corona, et de l'érotisme débridé grâce aux peloches pornos et surtout à Léonore.

Au fond, l'un dans l'autre, ça reste une bonne année.

De toute façon, je n'ai pas eu de gros emmerdes, et, au jour d'aujourd'hui, c'est déjà quelque chose de se le dire.

A rajouter à ce tableau un jean super-cintré que j'ai fini par obtenir de Françoise.

A présent, vivent les vacances, qui commencent dans trois jours.

Bingo.

Il y a aussi un truc que je dois dire, j'adore l'Amérique : ils ont tout, ces mecs-là : le coca, les cibiches blondes, les stars, les cow-boys, les montagnes, les déserts froids et chauds et les Rocheuses comme dans *Jeremiah Johnson*, un film terrible, avec Redford.

Et c'est pour ça que je dis toujours Bingo, parce que je l'ai entendu dans une peloche avec Burt Reynolds. Chaque fois qu'il était content il disait Bingo, alors moi aussi, comme ça je me sens un peu amerlo sur les bords, mais, quand même, faut bien dire que La Garenne c'est pas le Nevada, alors parfois, c'est dur de vivre. Mais j'irai un jour : San Francisco, Abilene, Santa Fe, le Niagara, Las Vegas, tout le cirque... Bingo !

J'allais oublier : cette année, j'ai eu onze ans et je m'appelle Daniel.

II

Je viens de terminer ce livre.

En général, je déteste les psychologues, mais, là, je suis obligée d'admettre que ce monsieur n'a pas tort : les enfants surdoués sont extrêmement rares.

En effet, je n'en connais aucun.

A part moi.

Lauren, ton front pur est marqué du destin.

Il est nécessaire que je m'y fasse, mais il en est ainsi : je suis trop en avance pour mon âge.

Il y a en fait fort peu de temps que je m'en suis aperçue. Nous étions en cours de mathématiques. Notre tarée de professeur m'importunait depuis trois belles heures avec ses équations lorsque la voici qui se trompe, qui hennit en ricanant de toutes ses grandes gencives roses, déclarant pour nous en mettre plein la vue : « Erreur de ma part, cela nous donnerait une équation du second degré et vous ne connaissez pas la formule de résolution. »

J'ai regardé mes congénères qui bavaient, l'air abruti (je déteste les Américaines), et j'ai dit : « On peut essayer de la trouver, cette formule... » En plus des gencives, elle nous a montré tout son pharynx et

12

ses sacs pulmonaires, tellement elle a ri : « Allez-y, a-t-elle dit, trouvez-moi ça et je vous offre le champagne. »

Elle appelle ça un trait d'esprit. Toutes les autres minus m'ont regardée et moi j'ai commencé à m'emberlificoter dans les symboles et, au bout d'un moment, j'ai trouvé un fil comme le bout qui dépasse d'un nœud compliqué, on tire dessus et tout se défait d'un coup. J'ai dit alors :

$$x = \frac{b + \sqrt{b^2 - 4\,ac}}{2\,a}$$

Et voici résolu l'insoluble problème.

Elle s'est assise, la chère Miss Flanaghan, comme si elle avait une crise de foie instantanée et j'ai cru qu'elle allait vomir sur le bureau. Elle a jauni comme dix mille automnes et elle a dit : « Montrez-moi votre classeur, Lauren. »

Je lui ai passé mon brouillon, elle m'a regardée comme si j'étais Frankenstein et je lui ai dit : « Ce que je préfère, c'est un magnum de Dom Pérignon... cuvée 1969... »

Sous les remparts de Troie nous boirons jusqu'à l'aube.

Là, elle s'est mise à ressembler à un tas repoussant de confiture de pomme et elle a gémi : « Il faut absolument que votre mère vienne me voir. » Et, lorsque maman est venue, elle lui a prêté ce traité sur les enfants surdoués. Je l'ai lu en cachette et je sais maintenant que je ne suis pas très normale.

J'aurais pu m'en apercevoir plus tôt, d'ailleurs, à présent des souvenirs reviennent. Par exemple, lorsque j'ai eu huit ans, j'ai pris l'habitude de dérober des livres dans la bibliothèque et je prenais au hasard tout ce qui me tombait sous la main, je n'évitais que les livres pour enfants qui sont exceptionnellement

13

ennuyeux. Or, un jour que j'étais plongée dans ma lecture, j'entends mon père qui explose de rire derrière moi et se tape sur les cuisses en bêlant : « Kay, venez voir votre fille, elle lit Heidegger ! » Comme je ne trouvais pas ça drôle, il me demande si je comprends quelque chose, je dis : « Oui, bien sûr, et toi ? » Alors, surprise ! il me répond : « Eh bien, moi, rien du tout. » Je referme mon livre et je lui dis quelque chose du genre : « Ce n'est pourtant pas bien compliqué de se rendre compte qu'une ontologie fondamentale dont on veut renouveler la signification ne peut passer que par une phénoménologie de l'existence permettant d'expliciter la structure globale de l'être-là. »

Depuis ce moment, il n'a plus été vraiment le même.

J'ai même l'impression certains soirs qu'il force un peu sur le whisky et qu'il m'évite. Maman aussi me semble soucieuse. C'est aussi à ce moment-là que j'ai vu quelques psychologues. Pourtant, à mon avis, mes parents devraient être contents. Au fond, il y a de quoi être fiers, je ne vois pas pourquoi ils s'agitent lorsqu'il y a des invités et que j'essaie de donner mon avis sur la conjoncture économique internationale. C'est toujours à ce moment-là que maman sonne Eusébia pour qu'elle apporte le rôti ou que papa fait du bruit avec sa chaise ou se met à hurler en désignant, au-dessus de la cheminée, un vieux Vasarely qui est là depuis quatorze ans : « Vous avez remarqué notre nouvelle acquisition ? »

Mais, si je possède une grosse tête à l'intérieur, il ne faudrait pas croire que cela se voit. Je ne voudrais pas sembler orgueilleuse, mais je dois dire que lorsque je me regarde, je me trouve ressembler à ce que ce grand homosexuel de Verlaine appellerait un rêve étrange et pénétrant.

Comme toutes les Américaines de ma génération, j'ai une passion pour les symbolistes, mais, peut-être est-ce le sort des filles issues des civilisations fraîchement nées, tout me porte vers Racine, qui reste mon idole incontestée. Certes, j'ai fréquenté Montesquieu, Voltaire, j'ai aimé les Encyclopédistes (d'Alembert en particulier), mais Racine... Je donne toute la côte pacifique, Los Angeles en prime, pour un seul vers de lui. *Bérénice* surtout... J'adore faire des vers raciniens. On l'aura peut-être remarqué.

> Oui, j'adore Racine et suis américaine,
> De père I.T.T., de mère Washingtonienne.
> J'entre, blonde à l'œil vert, dans ma douzième année...

Donc, je suis blonde, nettement. Bouclée de surcroît et j'ai des yeux verts qui sourient toujours, même si je suis triste. Je me demande de qui je tiens ça ; mon père n'a pas les yeux souriants, il a même souvent un regard craintif, surtout quand je lui propose une partie d'échecs. Il n'est pourtant pas bête, il dirige en France la firme I.T.T. Il est une sorte d'Agamemnon du téléphone, d'Ulysse de la télécommunication. Quant à maman, elle a un côté fofolle fifille futile qui ne me ressemble pas du tout.

Sans rentrer dans des détails délicats qui froisseraient ma pudeur naturelle, je dirai que je ne suis pas encore une femme mais que, si je bombe le torse, il n'existe aucun risque de me prendre pour un garçon. Je possède, en plus de ça, une distinction et un port de tête très gracieux qui m'ont été fournis par la danse classique que je pratique, hélas ! depuis l'âge de cinq ans. C'est également cette même danse classique qui me vaut de marcher en deux heures moins dix et d'avoir des cuisses comme le trois-quarts centre de l'équipe des géants de New York (j'exagère, évidemment). Pas question d'abandonner d'ailleurs, Kay s'évanouirait si elle doutait une seule seconde qu'un jour je ne serai pas danseuse étoile au Covent Garden ou à la Scala.

Kay est ma mère. Elle ressemble à Katharine Hepburn avec quinze centimètres de plus et quinze kilos en moins.

Kay est née dans la 4e Avenue, a pratiqué le tennis à Miami Beach, a appris le yachting avec cinq professeurs différents, le français avec deux autres et le temps de faire quelques emplettes rue de la Paix, entre deux jets, elle a eu un enfant d'un dénommé Richard T. King avec qui elle s'était mariée deux ans auparavant. Je suis donc née sur un tapis de dollars.

Que dire de plus sur moi ? Nous habitons sur la colline de Passy un appartement de deux cent vingt-cinq mètres carrés luxueux et absolument inconfortable, nous avons trois bonnes entièrement portugaises, ce qui ne m'empêche pas de me situer politiquement à gauche, tendance P.S.U. Je n'ai pas d'amies, sinon Nathalie Woodstein qui téléphone régulièrement tous les soirs et me supplie d'une voix mouillée de lui dicter la version latine du lendemain, et j'adore la musique, surtout les petits maîtres du XVIIIe.

Et puis, il y a les garçons.

Je dois avouer que cela me tracasse assez et je me demande si je ne serais pas également surdouée dans ce domaine-là et si je n'ai pas côté libido l'équilibre du Q.I. d'Einstein. Surdouée tout au moins en ce qui concerne mes envies, parce que du côté de la réalisation, c'est le calme plat, ma vie sentimentale extérieure est une mer d'huile, mais à l'intérieur, c'est l'ébullition perpétuelle.

> Je me sens dévorée de puissantes ardeurs
> Vénus est dans nos murs, Vénus est dans mon cœur...

Je dois l'avouer, je suis une sentimentale romantique.

En plein XXe siècle, je rêve encore au prince charmant et je peux dire que j'ai failli le rencontrer deux fois.

La première fois, c'était, il y a un peu moins d'un an, sous les traits un peu flous de Jack Belbothom, élève de terminale au lycée franco-américain que je fréquente assidûment. Comme j'ai pu en rêver, de ce garçon ! Grande sauterelle à cravate tricotée et blazer made in England, quand je pense que ses allures de futur jeune cadre m'impressionnaient ! Pendant des mois, je le guettais dans les couloirs. Comme il était différent des autres ! Alors que ses congénères flirtaient avec frénésie avec de grandes saucisses ricanantes enduites de cold cream et d'eyeliner, lui restait solitaire, plongé dans une étude de Chomsky. C'est pour lui, pour l'épauler moralement, que je me suis lancée dans le calcul binaire, pour participer un peu à ses préoccupations. J'ai même lu des ouvrages sur l'hypnotisme, à cette époque, pour tenter de capter son attention et l'amener, par fluide magnétique, à poser son regard sur moi. Ou bien je n'ai pas de fluide, ou bien il était d'une étonnante myopie, mais jamais ses yeux n'effleurèrent les miens. Il est vrai qu'au milieu de deux cents élèves galopant vers la sortie il est pénible de rassembler son énergie mentale. En tout cas, je restai folle d'amour jusqu'à la veille des vacances de Pâques où j'ai essuyé ma première tentative de viol.

Hélas ! pauvre Lauren à la brute livrée...

Je venais de rentrer du lycée, la tête encore pleine de l'élégante silhouette longiligne du grand Belbothom en question, j'évoquais avec tendresse la courbure de sa scoliose prononcée. Je m'imaginais tourbillonnant avec lui dans une robe de mousseline bleue lors du bal des Cadets de West Point, tout cela en me gavant distraitement de pop-corn, mon goûter préféré.

Et tout à coup deux bras m'encerclent.

Je frémis.

Une bouche épaisse se pose sur ma nuque gracile.

Je pousse un cri, me dégage, affolée, et me retourne :

Gardes, de ce palais investissez les portes...

L'infâme Manuel, le fils d'Eusébia, était là, ricanant bêtement, le frond lourd sous l'épaisse chevelure qui caractérise le travailleur manuel et émigré.

J'avale ce qui me reste de pop-corn dans le gosier et je dis : « Eh bien, jeune homme ? »

J'étais furieuse, mais, en le regardant bien, je constate que c'est vraiment un enfant et que, emporté peut-être par la passion, il n'a pas su, sans doute, résister à l'instinct bestial qui le domine. Oui, j'ai eu à cet instant précis l'impression d'être pour lui une proie dont il était le chasseur éperdu.

Cela m'a fait drôle.

Toute la semaine, j'ai pensé à ses yeux sombres, déjà quasi africains, à ses épaules découpées, à ses lèvres grossières et chaudes... Bref, c'en était fini de l'autre grande interminable baderne hydrocéphale.

Après l'esprit, je découvrais la chair.

Je rêvais de sa lèvre au cours de longues nuits.

J'ai passé durant un mois les trois quarts de mon temps à la cuisine, me bourrant de pop-corn, ce qui m'a fait prendre trois kilos. Et pas une seule fois cet imbécile n'est revenu.

Et que le jour commence, et que le jour finisse
Sans que jamais Titus puisse voir Bérénice.

J'ai interrogé Eusébia, elle m'a expliqué que Manuel restait maintenant à l'école jusqu'à six heures. Bref, une fois de plus, je connaissais à la fois l'amour et l'infortune, mon beau et sombre Portugais, ma tendre brute m'avait abandonnée, rêvant peut-être du fond de son H.L.M. à la jeune et blonde

Américaine qu'il avait agressée, par un après-midi de printemps, dans le décor bourgeois d'une cuisine du XVIᵉ.

Comme on le voit, mes aventures en ce domaine sont assez limitées, je me sens parfois au cœur un grand vide inemployé et j'ai de temps en temps la conscience navrée, lorsque je rêvasse sur mes amours déçues, de ressembler à ces minettes aux yeux aussi creux que leur crâne qui garnissent les couvertures des romans-photos.

A part ça, j'aime bien aussi le rugby, ce qui peut paraître étonnant, vu mon sexe et mes trente et un kilos, mais on ne se refait pas.

Dans deux jours, distribution des prix. Je trouve cela vraiment lassant, parce que je les ai tous. Ce qui me console, c'est que c'est encore plus lassant pour mes amies qui n'en ont aucun. Chaque année, c'est pareil, il faut que j'en prenne mon parti, je me retrouve avec une quinzaine de livres sous chaque bras. Depuis la première classe, j'ai eu quatre *Roman de Renart*, sept *Histoire d'Abraham Lincoln*. Il y a aussi *Le Vieil Homme et la mer* que je dois avoir en triple exemplaire.

Après, je vais partir avec papa-maman, comme d'habitude, au même hôtel que d'habitude, dans la même chambre que d'habitude, à sécher d'ennui sur pied comme d'habitude.

Maman va encore vouloir m'inscrire au tennis et je vais refuser comme chaque année, elle me demandera alors si je préfère participer au Tournoi des Cinq Nations ou au Challenge Yves-Du-Manoir, et elle va marteler le couloir de ses hauts talons en cliquetant de tous ses bracelets, absolument hystérique. Bon temps que cela ne m'impressionne plus. Je vais emporter ma jupe-culotte à poches en biais, ceinture à passants, parce qu'avec mon chemisier imprimé dans les mauves, boutonné sur patte, légèrement cintré, je fais vraiment porcelaine et, si j'ai l'éclairage avec moi, je peux récolter pas mal de cœurs palpitants.

L'émancipation de la femme ne passe pas nécessairement par le négligé du vêtement et, en plus, j'adore le mauve, alors pourquoi avoir peur de plaire ?

Enfin, tout cela n'est guère emballant et si, comme le prétend le poète bulgare S. Poniazem, « l'enfance est le sucre de la vie », je me demande quel goût doit avoir le reste.

Espérons au moins qu'il fera beau.

Et un mois de juillet, un !

> Les vacances sont prêtes à être vécues
> Ô blonde et pâle enfant, plonges-y à mains nues.

III

La première fois que je me suis pointé ici, dès l'arrivée à la gare, j'ai tout de suite remarqué les petits paniers. Je vois un mec qui déboule avec son petit panier et je me dis : « Tiens, c'est marrant, ça doit être la mode du coin. » On traverse la rue, et une bonne femme, cette fois. Elle aussi avait son petit panier, le même.

J'ai pensé que c'était une spécialité du pays, une sorte de folklore, un peu comme la bourrée auvergnate, et on arrive sur un grand boulevard plein de cafés et plein de monde dans les cafés, et tout le monde avec son petit panier minuscule, comme un jouet de gosse. Il n'y avait que moi qui n'en avais pas.

La honte.

Je me torturais pour savoir ce qu'ils pouvaient fourrer dans leur saloperie et, finalement dans le parc de l'établissement, j'ai vu une mémé qui l'a ouvert :

20

dedans, il y avait son verre, un verre complètement dégueulasse pour boire leur pourriture de flotte.

C'est une ville absolument pas drôle, tous les gens ici ont au moins trois mille ans. C'est des vieux partout qui déboulent dans le parc par pensions entières. Ici, c'est le retraité qui fait la loi et quand le parc est plein, quand, dans tous les coins, ils lisent, parlent, tricotent, ça fait un drôle d'effet de se dire que tous ces gens ont les intestins pleins de nœuds.

Parfois, près des bosquets, en bordure des pelouses, on voit des groupes tout calmes, occupés à discuter tranquillement des nouvelles du jour, du prix du bifteck, et tout d'un coup, mine de rien, il y en a un qui se lève, qui toussote, qui lance un « Bon, ben ! c'est pas tout ça... » et il s'en va, négligemment, sans se presser, mais dès qu'il a tourné la première allée il change de rythme, il accélère nettement, comme s'il venait de se rappeler quelque chose d'urgent. Encore un tournant et il se met à trottiner, les genoux pliés, la tête inquiète ; dix secondes, et la foulée s'allonge et, brusquement, le type donne tout ce qu'il a : complètement ventre à terre avec les pieds qui montent plus haut que la tête, c'est le sprint échevelé, la cavalcade folle, les yeux exorbités, jusqu'aux waters où il fonce comme un missile avec un cri strident. Bingo !

C'est une ville pour les records de vitesse, c'est la chiasse contre la montre, je suis sûr qu'il y a des grand-mères qui ont pulvérisé des quatre cents mètres dans ce parc ; de temps en temps, on voit des coureurs qui se croisent dans les allées, à cent cinquante à l'heure, ils zigzaguent comme des fous, sautent par-dessus les chaises, c'est la ville des météores, la cité de la grande diarrhée... Heureusement, il y a des chiottes partout, et attention, pas de petites chiottes comme dans le métro ! Des trucs énormes, des cathédrales carrelées avec des enfilades de portes à perte de vue, et ça ne chôme pas. C'est très beau là-dedans, frais et ancien avec des mosaïques et comme des vitraux, ça résonne de façon imposante, la bonne femme qui reçoit les pourboires doit être millionnaire...

C'est une ville spéciale pour guérir l'aérophagie et, comme on m'avait expliqué que c'était des gens remplis de gaz, au début je guettais pour voir s'il n'allait pas y avoir une curiste qui, lentement, se serait mise à décoller de sa chaise, à osciller et à monter tranquillement en continuant à tricoter au-dessus des têtes, au-dessus des arbres, comme un dirigeable ; je m'imaginais ça, moi : un parc sillonné de courses folles et surmonté de mémés planantes et tricoteuses, certaines très hautes, presque invisibles, frôlées par les oiseaux et qui, déportées par les vents dominants, survoleraient des océans et des bancs de nuages, leur tricot terminé. Elles exploseraient plus tard, lorsqu'elles atteindraient le soleil, la pointe d'un rayon perçant leur ventre tendu.

On est con quand on est gosse.

Chaque année, on y revient, pour ma mère, bien sûr, pour qu'elle puisse y boire son eau puante qui n'a pas l'air de la guérir tellement bien. Moi, ça m'épuise. Enfin, c'est la Sécu qui paie et ça fait travailler du monde.

Il y a tout de même une chose que j'aime, c'est que tout est un peu grandiose, les bâtiments, les hôtels, avec des colonnades, du marbre par terre, des coupoles, des tourelles dans tous les sens ressemblent un peu au décor de *Gatsby le Magnifique,* le film avec Redford que j'ai vu trois fois. Même les kiosques où il y a les fontaines où ils versent l'eau, c'est tout ancien, tout tarabiscoté comme un chou à la crème avec tous les vieux autour avec leur petit panier à la main. Quand on est près du ruisseau, sous les grands arbres qui font que tout est vert et glauque comme dans un aquarium, eh bien, on dirait que c'est l'automne. C'est une ville où c'est l'automne tout le temps. Le contraire de l'Amérique.

Tout est toujours un peu humide dans ces endroits,

les gens qui se promènent sont tous silencieux, ils murmurent à peine. Ils font riches, je trouve.

Ce qu'il y a, c'est qu'ils glougloutent pas mal, mais on ne peut pas leur en vouloir. Et voilà où, depuis trois ans, je passe mes vacances. Oh ! bien sûr, il y a un charme, mais le vieillot, c'est pas supportable tous les jours, et le pire de tout, c'est que c'est un mois sans peloche.

Parce qu'en juillet, dans les villes d'eaux, faut avoir vu les programmes pour le croire : c'est pas croyable.

Que du film français. Et vraiment du monstrueux, du rigolard, du tartignole, du film pour grand taré baveux. Le cinoche, c'est pourtant un monument, on dirait le Sacré-Cœur en encore plus décoré, avec des plantes grasses devant la caissière, des fresques comme dans un opéra, mais alors, les programmes, chapeau ! Spéciaux pour vacanciers débiles avec ennuis de tuyauterie. C'est l'enfer du cinéphile, ce bled, je suis sûr qu'ils ne connaissent même pas la tronche à Robert Redford. Parfois, alors là, c'est le plus atroce, le directeur du kino pense dans son énorme tête intelligente qu'il doit bien y avoir une quinzaine de gosses qui, pendant les vacances, se trimbalent lamentablement du casino à l'établissement thermal et qu'il faut faire quelque chose pour eux, alors là, ça ne loupe jamais : un Walt Disney.

Et pas n'importe lequel ! *Le Livre de la jungle.*

Toujours le même, comme ça on n'est pas surpris par la nouveauté et on sait ce qu'on va voir.

Bref, c'est la vérole.

Je ne me suis jamais fait de copains, parfois je rencontre bien des malheureux de ma génération qui déambulent comme moi dans le parc ou dans les rues, mais ils ont toujours leurs parents avec eux et s'assoient sur des bancs, leurs chaussettes tirées, balançant des souliers cirés dans le vide, bien lavés, pas causants, ils s'ennuient devant les tennis, les golfs miniatures, on dirait que ce sont eux qui ont mal au bide, ce sont de futurs glouglouteurs.

Presque une semaine que je suis là. Le matin, ça va encore parce qu'il y a le marché et que ça bouge, mais les après-midi... A partir d'une heure, tout le monde a l'air d'aller à la messe et, dans les cafés, même les flippers font des bruits tamisés... Alors, je rentre dans le parc avec Françoise et j'attends que la journée finisse en traînaillant un peu partout... Et dire qu'il y a des gens qui attendent ça pendant un an !

En plus, aujourd'hui, c'est l'orage, parce que, circonstance aggravante, c'est un pays où ça gronde tout le temps, d'une montagne à l'autre, et quand ça pète, c'est même pas la peine de prendre son parapluie, c'est la supercataracte.

On se dirait au bord de la nuit, le ciel a disparu sous des tonnes d'ardoises molles et les curistes tout autour ont des tronches violettes. Sous les feuillages, ça pue une odeur croupie de vieux nénuphars.

Ça y est, le grondement s'amplifie, comme un chariot à roues de marbre qui viendrait de là-haut, lancé sur nous comme dans *La Diligence infernale* avec Rod Steiger et Shelley Winters.

« Un bel orage se prépare. »

Ça, c'est le genre de remarque palpitante que l'on entend dans le pays des glouglouteurs. Tout à l'heure, lorsque des milliards de tonnes d'eau vont tomber, il va y avoir quelqu'un pour dire : « Il pleut ! »

Vérole.

Ça tombe. Heureusement qu'ils ont mis des abris un peu partout, des trucs en verre comme pour les autobus.

Qu'est-ce qu'on s'ennuie là-dedans !

« Excusez-moi. »

Gonflée, la nénette, elle a foncé comme au rugby.

Le squelette cliquetant, ça doit être sa vieille. Absolument gigantesque. Plus de bracelets autour d'un bras que chez tous les bijoutiers du département. On n'y voit presque plus, tout est noyé dans la flotte qui secoue les feuilles. Et ça peut durer des heures. On est serré comme dans le métro.

Qu'est-ce qu'elle lit, la nénette ?

Je me tords le cou pour voir le titre de la couverture. Vérole.

Elle a vu que je me tordais le cou et elle a remis droit pour que je lise mieux.

Qu'est-ce qu'elle se croit pas, cette nénette ! Y a pourtant pas de quoi, avec ses tifs tout raides, tout trempés.

Minable, va. Exactement le contraire de Jane Russel.

Etude structurale du théâtre racinien.

Connais pas, mais ça n'a pas l'air de ressembler aux *Mémoires d'un âne.*

Je me demande si c'est elle qui pue le chien mouillé.

J'ai toujours eu horreur des jupes-culottes, c'est physique chez moi : une jupe-culotte, c'est pas une fille, c'est pas un garçon, c'est au milieu, c'est rien du tout, c'est moitié Gary Cooper, moitié Silvana Mangano, c'est monstrueux.

Le vieillard en tweed qui a dit tout à l'heure que le bel orage se préparait va dire quelque chose de palpitant, je le sens à sa façon de se tortiller et de loucher pour concentrer ses idées. Enfin : il parle.

« Ça va durer longtemps, cette pluie ?

— Treize minutes quarante-trois », dis-je.

J'aurais pu ajouter des dixièmes, mais faut jamais pousser.

Tout le monde me regarde. Nénette aussi.

Vieillard en tweed me fixe comme si j'étais un canon allemand de la première guerre mondiale. Et Nénette éclate.

Je ne sais pas si elle sait faire grand-chose dans la vie, mais elle sait rire. Ça, on ne peut pas le nier, elle projette des gouttelettes partout.

« Un peu de tenue, Lauren », dit le squelette.

Lauren ! comme Lauren Bacall !

Sans bouger les lèvres, je nasille avec l'accent amerlo :

« Appelez-moi Humphrey. »

Pas de réaction. Elle me regarde comme si j'étais une grille de mots croisés. J'explique :

« Humphrey Bogart, dis-je, c'était un acteur et sa femme, c'était Lauren Bacall. Ils faisaient du cinéma.

— Connais pas.

— C'est des images qui bougent sur un écran et, depuis une cinquantaine d'années, ça parle. »

Elle fait le sale œil et, en même temps, elle commence à friser au fur et à mesure que ça sèche.

« Formidable ! dit-elle, et il y a longtemps que c'est inventé ? »

Sa mère cliquette à toute allure tandis que la pluie crépite sur les vitres. Lauren, elle, a des yeux, mais c'est peut-être à cause de la lumière, qui ont la couleur du gazon. Ce doit être assez rare. Je ne sais pas pourquoi, mais je rentre un peu le ventre pour faire glisser mon jean parce que plus c'est bas, plus je ressemble à Henry Fonda, et en ce moment je donnerais dix ans de ma vie pour ressembler à Henry Fonda, cinquante pour être Robert Redford, tout ça pour une merdeuse mouillée, allez donc comprendre le fond de l'être humain !

Elle continue à rire dans ses rétines et je commence à avoir chaud, encore dix secondes et j'ai les oreilles cuites. Je projette le menton vers son bouquin.

« T'es en quelle classe ?

— Je rentre en cinquième, mais j'ai un Q.I. assez exceptionnel. »

Hypergonflée, la nénette.

« Moi aussi, j' me débrouille », dis-je.

Françoise Michon, ma mère, se lève dans un silence de mort, secoue son pébroque plastique transparent spécial Monoprix et me balance un coup de coude.

« Ça s'arrête, c'est l'heure d'aller à la source boire mon eau. »

C'est dur de la quitter, je ne pourrai jamais, je suis déchiré tandis que le squelette me toise avec mépris. Elle a quelque chose de la mère Hepburn dans *African Queen*, mais en plus décharné.

« Salut, Humphrey. »

Et alors je m'aperçois, quand on la regarde de plus près, qu'elle a la bouche de cette grande bourrique de Jane Russel. Ça m'estomaque et je balance quand même avec l'accent V.O. sous-titré français :

« Salut, Miss Bacall. »

Dehors, tout est plus clair, c'est comme dans *Le Massacre de Fort Apache* quand les survivants regardent l'aurore monter à toute allure sur l'Arizona et je prends un grand coup de soleil mouillé à travers la tronche.

Je sais déjà ce qui m'arrive : j'aime.

Amoureux, autant que Clark Gable dans *Autant en emporte le vent*.

Bingo.

IV

Sous l'ombre des palais de la ville aux eaux tristes
L'Amour s'est faufilé, poisson d'or nostalgique.

Evidemment, il roule légèrement les épaules, mais on voit bien quand même qu'il est plutôt menu.

Une demi-heure à rissoler sous cette verrière avec tout autour des vieillards gonflés d'entérite chronique ! Et cela pour attendre un gigolo qui se prend pour Humphrey Bogart ; ce n'est pas la peine d'avoir un cerveau pire qu'un ordinateur I.B.M.

Un mal fou en plus pour semer Kay qui voulait que nous allions faire du shopping avant le thé.

S'il ne vient pas, cela va être une désillusion affreuse, pire qu'avec mes amants précédents quand ils m'ont abandonnée comme une répugnante chaussette sur les rivages du Pont-Euxin.

Cette maudite femme de chambre qui ne voulait

pas me repasser mon chemisier mauve ! Peut-être qu'il n'aime pas le mauve, Humphrey. Ni les blondes frisées.

Il était temps qu'une telle chose m'arrive, je commençais à me dessécher le sentiment. Neuf jours ici et j'en étais à mon quatorzième bouquin, dont un de douze cents pages sur le calcul intégral.

Mon cœur gisait sans but en mon âme attristée.

Affreuse vie ! Ces hôtels quatre étoiles sont désolants, et tout ce jus de carotte, je n'en puis plus. J'ai les paumes moites.

Il faut qu'il vienne. Je veux qu'il vienne. C'est un obsédé de cinéma, crâneur, insolent, vulgaire, gringalet, bref : je l'aime.

Oui, en un clin d'œil, dès qu'il est parti hier, sous l'ondée, je l'ai compris. J'ai su en cette minute que rien n'existerait plus pour moi désormais, qu'il serait mon unique, mon grand, mon véritable amour : *Love*, *love* et des petits cœurs partout.

Je suis Phèdre et Hélène et Lauren à la fois.

Viens, viens, bel inconnu, regarde, je suis là, palpitante, oh ! ne me fais plus attendre, cruel...

Pas le temps de me refiler un coup de peigne, il peut surgir *ex abrupto*. Pas lu une ligne depuis hier, je reste hébétée, paralysée, assommée : la vie enfin !

Il ne viendra pas, il doit jouer aux billes dans un square avec une équipe de moutards ; on dit que les garçons ne s'intéressent pas tellement aux choses du sentiment, ils se développent plus tardivement, ils ont les glandes plus lentes que les f...

Jésus !

Beau comme un astre, chemise dernier cri, foulard western, il est là.

« Bonjour, Humphrey.

— Salut. »

Dandinements. Il sent le savon presque autant que moi.

« Cigarette ? »

Je refuse. Il n'a pas l'air à l'aise avec son paquet de Lucky Strike. Il en prend une et tous les promeneurs le regardent avec réprobation téter son cylindre.

Il fume comme un diesel. Je suis heureuse qu'il soit venu.

Il tord la bouche quand il parle, mais l'effet est assez réussi, on sent qu'il s'est entraîné longtemps devant la glace.

« J'ai largué mon père, dit-il, il voulait qu'on fasse un p'tit pok.

— C'est gentil. »

Il fait un geste négligent, avale de la fumée et tousse un grand coup. J'aimerais tant le soigner s'il était tuberculeux ou quelque chose dans ce goût-là ! La tendresse m'entraîne. J'attaque :

« J'espérais que nous nous reverrions. »

Silence. Il marque le coup, respire, se gratte une oreille, fouille dans sa poche, écrase son mégot, fait de la poussière avec ses pieds, fronce le nez, creuse le ventre, remue les genoux et dit :

« Moi aussi. »

Doux aveu.

« On va se balader ? dis-je, on crève ici. »

Il faut savoir parler au peuple parfois.

« D'accord. »

Nous marchons côte à côte. J'ai un soleil au milieu du ventre.

« Je m'appelle pas Humphrey.

— Je m'appelle vraiment Lauren. »

Il rit et moi avec. J'espère qu'il remarque mes dents blanches.

Je ne me suis jamais encore promenée avec un homme, pas plus avec l'autre grande échelle boutonneuse de terminale qu'avec le trapu râblé aux lèvres-ventouses.

Et voilà que cela se produit, qu'enfin en ce jour

d'été, en ce parc de ville d'eaux, sous un ciel ripoliné, j'avance avec ce garçon hier encore inconnu. Je fatigue parce que je bombe la poitrine.

« Où tu habites ici ?

— A l'impérial », dis-je.

Il siffle.

« Un quatre-étoiles, remarque-t-il, on doit être pas mal à l'aise chez toi. »

Attention, il faut que j'évite le conflit des classes sociales.

« Mes parents ont de l'argent, mais je ne partage pas toutes leurs opinions. »

Il grimace et, soudain, l'atmosphère de luxe qui m'entoure depuis onze longues années me semble une chape insupportable.

« D'ailleurs, dis-je, j'ai parfois songé à m'inscrire au Parti. »

Il hoche la tête.

« Je comprends ça ; moi, ce qui me fait reculer, c'est la pauvreté actuelle du cinéma soviétique. »

Je le regarde. Son profil se découpe sur le vert des arbres.

« Tu as l'air d'aimer le cinéma. »

Il sourit.

« Terrible. »

On a tourné à gauche ensemble, sans se concerter. L'allée monte en pente douce, et là-haut ce doit être le ciel, le bleu dans lequel nous disparaîtrons, enlacés : les amants du haut de la colline.

« Moi, dis-je, je n'y vais pas très souvent. »

Presque personne ici, les chaises de jardin sont désertées. Il s'arrête.

« Je t'y mènerai si tu veux... »

Mes yeux se ferment, oh ! mon amour, l'avenir déjà se dessine : dans l'ombre d'une salle obscure, deux fauteuils où nos corps s'enlacent éperdument ; plus jamais le futur ne sera le même, dans le Paris d'automne, nous marcherons comme aujourd'hui vers les rêves en Technicolor...

« Avec mon copain Londet, on passera en douce, c'est au Royal Casino, on y voit de sacrées peloches. »

Joyeux vocabulaire. Je peux avoir sur lui, de ce côté-là, une influence qui ne serait pas du luxe.

« Où habites-tu à Paris ? »

Il soupire et enfonce les mains dans ses poches.

« En banlieue », dit-il.

Une gêne, un peu comme si les périphériques coupaient au couteau deux univers impénétrables l'un à l'autre, ce qui d'ailleurs est peut-être vrai, mais l'amour vaincra les obstacles.

« Moi, dis-je, c'est le XVIe, je n'y ai pas échappé. »

Nous nous sommes assis, sous les arbres, au centre des vols de moineaux, les pieds dans les écorces tombées et les graviers nettoyés à l'orage d'hier ; les bras de nos fauteuils se touchent.

« Cigarette ? »

Il tient à montrer qu'il fume, mais, dès mon refus, il range le paquet.

Eh bien, voilà ; voilà, voilà.

« On est bien, hein ? »

Je fais « Oui, oui » d'enthousiasme et je cherche frénétiquement à toute allure à dire quelque chose d'intéressant, mais j'ai les circuits intégrés qui tournent à vide. Pas la peine de savoir extraire des racines carrées pour ne pas être capable d'aligner trois mots à un garçon. Tout à l'heure, il va tellement s'ennuyer qu'il va partir en courant.

Ça se prolonge.

« C'est pas mal comme ville, au fond », dit-il.

Lui aussi, il a l'air de se torturer furieusement pour se sortir une phrase.

Nous sommes absolument ridicules. Je fonce :

« Moi, je m'y ennuie, heureusement que je t'ai rencontré parce que je serais morte. »

Il fait un léger bond dans son fauteuil et prend une pose super-relax.

« Il était temps que j'arrive, dit-il, un cadavre à

l'Impérial, c'était pas bon pour le tourisme. Au fait, qu'est-ce que c'est que ce bouquin que tu lisais hier ?

— Rien de spécial, un truc un peu compliqué, mais il faut que je t'explique : je suis surdouée. »

Ce qui est drôle, c'est qu'en lui disant cela je n'ai pas pu empêcher ma voix de trembler, comme si je lui avais dit : j'ai un cancer du foie ou une syphilis héréditaire. Il fait de grands yeux inquiets.

« Ça veut dire quoi exactement ?

— Ce n'est pas contagieux, ça veut dire que j'ai passé des tas de tests avec des psychologues, des tas de types en blouse blanche, et quand c'est fini et qu'ils s'en vont, ils ont l'impression d'être plus bêtes que lorsqu'ils sont arrivés. »

Il frappe dans ses mains.

« Je pige : t'es une hyper-intelligente ? »

Je m'excuse platement.

« C'est un peu ça, mais ça ne va pas durer, simplement j'ai un peu d'avance sur les autres, à un moment ils me rattraperont, mais pour l'instant ça leur est difficile. »

Il se renverse sur la chaise et me regarde, ébahi.

« Ça, c'est marrant alors, dit-il, c'est exactement comme moi.

— C'est vrai ? Tu es un surdoué aussi ? On te l'a dit ? »

Ses fins sourcils se froncent sur son front adorable.

« On me l'a pas dit, mais j'en ai l'impression : à l'école, je plane.

— Moi aussi, nettement. »

Rires de bonheur. Nous étions faits pour nous rencontrer.

« J'aime pas l'école, remarque, la géo surtout, mais je plane quand même. »

J'écoute le son de sa voix. Comme nous nous connaissons bien déjà, quelle connivence entre nous... Le silence qui revient ne pèse plus à présent.

« Il est bien, ton jean, c'est un Levi's ? »

Il sourit dans le soleil et se penche sans répondre, mon cœur boumboume à trois cents à l'heure.

« Ce que j'adore chez les filles, c'est les jupes-culottes, je trouve que c'est sport et puis, en même temps, ça fait femme. »

Agréable compliment. Rougissons.

« C'est ma mère qui me l'a rapportée, dis-je, elle vient de Tucson. »

Sursaut violent de mon bien-aimé.

« Tucson U.S.A. ?

— Oui. »

Ses yeux jaillissent des orbites.

« Tucson en Arizona ?

— Oui.

— Ta mère est américaine ?

— Oui.

— Ton père est américain ?

— Oui.

— Tu es américaine ?

— Oui. »

Il se dégonfle comme un ballon de rugby.

« Bingo », souffle-t-il.

J'ai cru qu'il allait mourir et je lui ai tapoté la main.

« Tu n'aimes pas les Américaines ? »

Il a rebondi sur son fauteuil.

« Ah ! si, dit-il, ah ! si, ah ! si, si, si si si et si. »

Ça m'a étonnée, je ne savais pas que nous étions si populaires.

« Au fait, dit-il, je m'appelle Daniel. »

On a parlé et les phrases venaient d'elles-mêmes sans problèmes, sans efforts, et j'étais sous le charme banlieusard qui se dégageait de sa personne lorsque soudain il a dit :

« Faut que je me casse.

« Si tu veux, ajoute-t-il, on peut se revoir demain, j'ai pas mal de trucs de toutes sortes à faire, mais je pourrai me libérer...

— Au même endroit, à deux heures. »

On est bras ballants et, là, il fait un truc qu'il a dû

préparer avant de venir : deux pas en arrière et la main droite à la hauteur de la hanche, il agite les doigts.

« *So long, baby* », dit-il.

Parti.

Ça m'a quand même coupé le souffle.

Ça, c'est un homme.

V

Mon Grand Soir.

Notre Grand Soir. J'ai la trouille folle, je dois le dire, mais tout à l'heure je serai Clark Gable ou rien.

Tout est prêt, même les étoiles.

Ce qui va manquer, c'est la musique, le fond sonore. Evidemment, je pourrais me pointer avec un magnétophone à piles, mais ça sentirait un tout petit peu le préparé.

La honte.

Une Américaine ! Je n'ai pas encore réalisé !

Tout est dans ma tête, ça doit s'enclencher au quart de poil.

On va s'accouder à la balustrade avec la ville en bas : on domine. A cette heure-là, il doit bien y avoir un vent frais qui passe, ou alors c'est l'émotion qui va la faire frissonner.

Ou si elle frissonne pas, c'est du pareil au même.

Je m'approche un peu et je lâche :

« Froid, baby ? »

Tel quel.

Alors là, ça démarre, qu'elle dise oui ou non, ou j'ai chaud ou n'importe quoi, je retire mon blouson et je le lui mets sur les épaules — protecteur, quoi.

Et à ce moment je garde mes mains toujours sur ses épaules, et là, le temps suspend son vol.

Après, elle va se tourner vers moi comme Myrna Loy dans *Une nuit aux Bahamas* et il faut travailler au millimètre. Pas du tout brutal à la Lee Marvin, pas trop mou quand même, juste ce qu'il faut : tendre mais cependant décidé. Un léger mouvement de bascule, un peu comme au judo, et tchac.

The kiss.

Bingo.

Le gros baiser en gros plan avec les étoiles qui clignotent, la vraie production Metro Goldwyn Mayer.

Un grand moment, avec toutes les caméras sur nous.

Quelle trouille !

Si je fais deux colonnes et si je marque d'un côté ce qui peut se produire de bien et ce qui peut se produire de mal, j'ai dans la deuxième : la gifle, la fuite ou elle va le dire à sa mère.

La gifle, je l'ai prévue : je lui chope le poignet au passage, totalement impassible, et je dis :

« Calme, baby, calme. »

La fuite, ça, c'est peut-être le plus dramatique parce qu'il faut que je la rattrape, et elle cavale dur, elle est vachement sportive comme fille, et si je suppose que je la reprenne, faudra que je tente le bisou à nouveau, et ça va sans doute présenter pas mal de difficultés, quoique il y a des filles qui se carapatent au premier coup et qui, à la deuxième tentative du mec, ont complètement changé d'avis : Barbara Stanwyck fait ça dans tous ses films, alors c'est pas à moi qu'il faut en raconter. Quant au troisième cas, je ne crois quand même pas qu'elle ferait ça, parce que c'est pas du tout le genre à aller cafter : « Maman, y a Daniel qu'a voulu me rouler une pelle. » Je la vois pas disant ça.

Dans l'autre colonne aussi, il y a plusieurs cas.

Elle me gifle pas, elle part pas, elle dit rien sur le moment, mais après elle me dit qu'évidemment... les hommes ne pensent qu'à ça, que c'est dégoûtant et patati et patata, et qu'elle n'aime pas, etc.

Autre cas : on recommence, on est contents, ça, c'est vraiment le formidable idéal.

Dernier cas : non seulement il y a le bisou, mais elle veut plus. On sait jamais avec les Américains, ils ont toujours de l'avance sur nous, ces gens-là.

Alors là, on rentre dans le problème de la sexualité et ça, c'est peut-être le pire de tout. Evidemment, grâce à Londet, j'ai vu pas mal d'interdits aux moins de dix-huit ans, mais ça ne m'a pas tellement donné d'idées. En fait, je sais très bien de quoi il s'agit, comment ça marche, ce qu'il faut faire et tout ça ; et puis j'ai mon expérience personnelle avec Léonore, mais quand même, je ne sais pas si je serais assez osé pour le *hard-core* avec Lauren parce que Léonore, c'était la chair, et Lauren, c'est autre chose. Et puis il faut dire aussi que Léonore, ce n'était pas si sexuel qu'on pourrait croire, c'était juste des chatouilles, au fond, de grosses chatouilles, d'accord, mais j'ai pas trouvé ça terrible dans l'ensemble.

Et puis même si la violence de la passion m'emporte, moi, il n'est pas sûr que ça lui plaise à elle, et en plus il y a du monde qui passe de temps en temps, et supposons qu'on nous voie ?

La super-honte.

Et enfin, dernière chose terrible : les conséquences.

Il faut songer à tout et si on avait un enfant, même surdoué, ça n'arrangerait pas les affaires, je vois d'ici les titres dans les journaux : *Père et mère à onze ans.* — *Deux enfants donnent naissance à un troisième.* — *L'accoucheur stupéfait s'aperçoit que le nouveau-né parle trois langues.* — *Professeur d'université à dix-huit mois.*

J'essaie de me faire rigoler, mais ça ne marche pas fort parce que, ce soir, c'est vraiment décisif. Je ne peux plus attendre. Il y a maintenant plus de quinze jours qu'on se connaît et si je ne tente pas quelque chose, elle va croire que je suis taré ou que j'aime pas les filles.

Quinze jours ! Les années précédentes, ça se traîne,

c'est le mois-limace, c'est visqueux et ça n'en finit plus, alors que cette fois !

Je viens la prendre tous les jours vers deux heures à l'Impérial, c'est drôlement chic, les loufiats commencent à me connaître, elle est dans le parc de l'hôtel, et là c'est vraiment un film, il y a des palmes, des colonnades, des bonnes femmes nues en faux marbre et des tapis, on marche un peu là-dedans entre les tables pleines d'Anglais ou on sort. Après, on se balade et on parle, on peut dire qu'on aura fait des milliers de kilomètres. On a trouvé un coin sympa pour goûter, c'est un peu en dehors de la ville, un pré qui descend, et de l'autre côté il y a des fermes qui commencent, c'est déjà les campagnes. On est bien.

Des milliers de kilomètres et des tonnes de salive : je lui ai raconté au moins trois cents films et elle m'a résumé deux mille romans. Jamais je ne pourrai me souvenir de tout ce que l'on a dit, de tout ce que l'on a fait, plein d'aventures qui sont venues, des rigolades. Une fois, on s'est perdus ; une autre, on a fait du stop ; hier, on est allés à la piscine. J'ai eu la trouille dans la cabine parce que je ne suis pas très épais en maillot et pas très fort sur le crawl et, malgré que je ne sois pas dégonflé, je me décidais pas à sortir, mais finalement ça a été quand même. Elle avait un deux-pièces dans les violets et j'osais pas trop détailler au début pour pas avoir l'air d'un obsédé justement, mais après ça a été mieux. Elle est vachement roulée, pas Russel ni Dorothy Lamour, bien sûr, mais elle se défend, surtout quand elle gonfle la poitrine. On gonflait tous les deux et on a arrêté sur la fin parce que c'est épuisant et qu'on commençait à étouffer.

Enfin c'est le tourbillon, l'Amour, quoi, et ce soir faut y aller.

Surtout que c'est une occasion qui ne se reproduira pas, on n'a jamais pu se voir le soir, mais aujourd'hui Marcel et sa femme se tirent au cinoche voir leur peloche débile comme toutes les années, et pendant ce temps je me carapate.

De son côté, c'est plus facile parce qu'elle a une chambre à elle, et elle va dire qu'elle a sommeil et redescendre par les escaliers de service. C'est bien pour ça, d'être dans un truc de luxe, il y a toujours plein d'entrées et de sorties ; les gens riches peuvent plus facilement que les autres se tailler en douce.

En fait, on dirait pas qu'elle est riche, Lauren ; deux ou trois fois, au début, elle a dit des petits trucs un peu réacs comme mentalité, mais c'est vraiment pas important parce qu'elle est drôlement à gauche au fond, et elle comprend bien le prolétariat.

De toute façon, le jour, à la lumière, j'aurais pas pu. D'abord il y a toujours du monde, et puis, je ne sais pas pourquoi, mais je préfère l'embrasser dans le noir. Peut-être je devrais voir un psychanalyste, mais c'est comme ça, ça ne se discute pas. Si je loupe mon coup tout à l'heure, ce sera affreux.

Le Baiser de la dernière chance. Avec Lauren King et Daniel Michon. Scénario de Daniel Michon. Entièrement filmé en couleurs naturelles. A ne pas manquer, la semaine prochaine sur cet écran. Violence et passion garanties.

Ce qui m'ennuie, c'est qu'il ne fait pas froid du tout. C'est la soirée la plus chaude depuis deux cents ans.

Pourvu qu'elle vienne ! Déjà neuf heures dix et on n'a quand même pas la vie devant nous ; à onze heures, faut que je sois repieuté.

C'est long à attendre. Surtout que dans le noir on ne voit pas grand-chose.

Si elle vient, c'est quand même dans la poche parce qu'on ne va pas me dire qu'avec son intelligence, une fille de onze ans trois mois qui se pointe à neuf heures dix du soir dans un lieu désert avec un garçon de douze ans dans moins de dix mois, elle ne s'attend pas tout de même à ce qu'il lui propose un chat perché.

C'est elle ! Une partie de la nuit vient de s'épaissir en forme de fille.

Elle sent le savon, toujours, et jamais je n'oublierai cette odeur, quel que soit le mec que je devienne.

Souviens-toi bien de tout, Daniel, garde chaque chose, jamais cela ne reviendra, ni cette main que je saisis dans l'ombre, ni les cheveux plus clairs que la lune, ni la voix.

« J'ai dû avaler de l'aspirine avant de monter, j'ai dit que j'avais mal à la tête.

— Ça se fait dans les films. »

Plus de salive et mon cœur qui bat, tambour dans la nuit ; il me semble qu'il percute dans les toiles tendues des horizons.

Je ne pourrai jamais. Si je ne l'aimais pas, j'aurais osé, mais j'ai une trop grande peur qui m'est venue. Je ne pourrai jamais.

Elle sourit, car il y a un éclat de lumière entre ses lèvres : c'est la lune sur ses dents.

« Tu n'as pas chaud avec ton blouson ? »

Merde.

Définitivement foutu cette fois, c'est dur à dire, mais je ne serai jamais Clark Gable. Comment aurais-je pu l'être, d'ailleurs ? Pas une ressemblance entre nous : il est grand et pas moi, une moustache et pas moi, costaud et pas moi, beau et moi aussi, mais différemment.

« Non, ça va. »

On ne se dit plus rien. C'est comme la première fois où je l'ai revue, je me torture pour trouver une idée. C'est le noir qui fait cela : ne pas voir une personne, ça rend tout timide.

« On s'assoit ?

— Tu veux le banc ou de l'herbe ? »

Formidable comme conversation, je suis vraiment éblouissant, ce soir.

« Ça m'est égal.

— Moi aussi. »

Elle rit.

« On peut rester debout si tu veux.

— Tu préfères pas t'asseoir ?

— Je m'en fous. »

Je rêve à cette minute depuis toute ma vie et je viens

e dire : « J' m'en fous. » Saluez, les copains, vous pouvez m'appeler Rudolph Valentino.

« Pourquoi tu es fâché ? »

Pourquoi sa question me donne-t-elle envie de pleurer comme une fille ?

« Je ne suis pas fâché.

— Tant mieux. »

Elle est trop gentille, ça m'en fait mal partout, je suis si crispé, si tendu que je vais vibrer comme une flèche dans le film de *Robin des Bois* avec Errol Flynn.

Cela me fait une chaleur mouillée sur la joue, une traînée douce et je n'ai plus qu'à pivoter comme prévu, et voilà nous y sommes, et tout d'un coup, je le jure sur ma tête, il fait soleil, un milliard de lampes allumées et mon tambour s'arrête, et tout a fui, en travelling, avec mon rêve enfin sur ma bouche.

Je suis sur la plus haute des collines, les Indiens ont disparu et nous sommes seuls, uniques, dans la nuit magique ; blanc cavalier des mille westerns, j'embrasse celle que j'ai cru perdre... Lauren.

Quand je pense que c'est elle qui a commencé !

Bingo !

VI

La rentrée. Enfin.

Qui aurait dit que j'attendrais follement ce jour ? Je dois m'efforcer de râler comme d'habitude, à cette même époque, pour que personne ne s'aperçoive de rien.

Ici, en septembre, entre la place d'Iéna et la Maison de la Radio, c'est un peu comme la vallée du Saint-Laurent, c'est l'été indien.

J'ai erré dans les jardins du Trocadéro et je n'ai pensé qu'à Daniel, peut-être à cause du soleil et du ciel

aussi bleu qu'en juillet. Tout le monde n'est pa~~s~~ po
rentré encore, pas de véritables embouteillages et l~~es~~
trottoirs sont un peu vides.

J'aime Paris plus que Tucson.

Je n'ai pas eu de lettres... C'était convenu ainsi, car
Kay ouvre le courrier : avoir onze ans est une raison
suffisante pour qu'on vous lise vos lettres, pas d'inti-
mité pour la jeunesse. Il n'a pas écrit non plus pour les
mêmes raisons. J'ai quand même bêtement guetté le
facteur.

Réveil à sept heures. Il pleut. Je pars pour la boîte
avec des fourmis dans les mollets. Les arbres sont
encore plein de feuilles et l'eau ruisselle le long des
branches. Au feu rouge, je tombe sur Nathalie Woodstein. Les vacances ne l'ont pas arrangée, elle ressemble à un poteau télégraphique sans les fils. Un imper
jaune et un sac vert U.S. Army, la vraie perruche
décharnée.

« Alors, Lauren..., tes vacances ? »

Toujours cet accent de l'Illinois...

« Correctes. »

Je ne lui raconte jamais rien. Je ne sais pas pourquoi, mais la seule idée d'avoir à traverser les épais-
seurs successives de son entendement me fatigue à
l'avance. Dès que je l'ai vue, j'ai eu envie de m'asseoir,
épuisée, sur le trottoir. Il faut quand même que je
fasse un effort, par gentillesse.

« Et toi, ça s'est bien passé ? »

Elle me regarde, stupéfiée de mon intérêt soudain à
son égard, et s'élance aussitôt :

« Fantastique ! deux mois à Torremolinos, on avait
appartement au septième, par-dessus le pédalo han-
gar ; un temps splendide, tout le dos plein de cloques,
et puis comme mazout, beaucoup. Je manger de la
paella avec cidre bouché, c'est terrific. Je rapporter
castagnettes. »

Les Woodstein sont dans les pétroles et alternent :
une année la Floride, l'autre l'Andalousie.

n traverse et elle sautille à côté de moi comme si
e avait trois ans, cette sous-douée.

« Tu n'avais pas un crocodile gonflable avec des
minipagaies ?

— Non, dit-elle, juste un ensemble sport *yellow*
avec une rouge casquette.

— Tu aurais dû essayer des chaussettes vertes pour
faire une harmonie.

— Je trouille rentrer, dit-elle, cette année, on a
Eisenhower en math, je trouille... S'il interroge moi,
je pas répondre.

— C'est mieux comme ça. »

Elle ne m'a pas entendue, elle me montre l'autre
côté de la rue.

« Voilà Butch. »

Celui-là, c'est un autre genre : le grassouillet rigolard. Il vient vers nous, deux fois plus gros que l'année
dernière. Butch et Nathalie, c'est le beau couple, on
pense tout de suite à une partie de billard.

Il me serre la main.

« Toujours vierge ?

— De plus en plus. »

Voilà la porte et c'est l'odeur qui, tout d'un coup,
efface les deux mois : ça sent le couloir, la craie et
Dieu sait quoi, je panique car il me semble soudain
que Daniel n'a pas existé, que je l'ai rêvé. Non, je le
verrai ce soir, quelques heures encore et nous serons
ensemble.

« Hello ! Lauren... »

Voilà les autres ; je souris, je parle, mais je ne pense
qu'à lui, si fort que cela me fait comme les matins où
je n'ai pas eu le temps de manger mes tartines, un
creux dans tout le corps.

Ils m'énervent déjà, tous ; mon Dieu, est-ce que
mon Q.I. ne va pas me séparer totalement ? Comme je
les trouve insupportablement bêtes ! Pourtant je sais
que ce n'est pas vrai, Nathalie, Butch et ses farces
toutes rondes, je devrais en rire et elles m'exaspè-
rent... Je ne suis bien qu'avec Daniel, mais comme

cela va être dur de tenir le coup ici avec tous ceux-là, avec ceux qui ont un cerveau qui colle à leur âge... J'ai peur parfois de ces idées qui s'emballent, de cette clarté terrible de mes pensées qui s'étalent sans ombre, éclatantes sous la violence des projecteurs.

Trente-quatre heures de cours. Trente-quatre heures à passer ici chaque semaine. Cela fait en gros mille deux cent cinquante jusqu'à la fin juin. J'en ai fait trois et j'en ai déjà assez. Je ne tiendrai pas jusqu'au bout. On se voit dans six heures.

> Et souffrez que ce soit l'heure de nous revoir
> A Daniel et à moi.

Classe d'Eisenhower. Il s'appelle Steward, en fait.

C'est son grand jour de jubilation : cet homme semble fait pour rentrer en classe chaque heure de sa vie. Il est équipé pour ça : sa blouse blanche avec quelques taches d'encre pour ne pas faire trop neuf, sa boîte de craie à gauche, son compas à droite, sa liste d'élèves devant et la tête de celui qui ne vous connaît pas mais qui, de toute manière, est décidé à vous en faire baver. Une vraie tête de cinquante berges tassées. Il a eu une chaire autrefois à Columbia.

Nathalie à côté de moi tente de se faire petite, entreprise désespérée. On dirait un palmier dans la salle, elle dépasse.

Butch passe un papier, le premier de l'année : *22, girls, is a sadic man, il vous pincer le cu.*

Butch a des problèmes avec le french language.

Je murmure :

« Un *l* à cul. »

Butch se retourne à moitié, la bouche de travers.

« *What ?*

— Faut un l à cul. »

Eisenhower sourit finement, lève une paupière matoise et susurre :

« La petite là-bas, à côté de la grande, pourriez-

43

vous avoir l'extrême obligeance de me dire votre nom ? »

Sheet. Repérée. Pas une demi-heure qu'on est rentrés. Je me lève.

« Lauren King.

— Très bien. Pourriez-vous me répéter ce que vous disiez à votre jeune camarade lorsque vous m'avez interrompu ? N'essayez pas d'inventer.

— Je disais que j'espérais que, cette année, on ferait avec vous de la géométrie non euclidienne. »

Léger vacillement de l'adversaire. Il a déjà l'air d'être moins fait pour être prof. Il se cramponne à sa boîte de craie, mais repart sarcastiquement à l'assaut :

« Vous êtes peut-être une spécialiste du postulat de Rieman ? »

Rires serviles des trois tordues du premier rang.

« Non, je préfère Lobatchevsky. »

Tassement d'Eisenhower qui semble prêt à perdre la deuxième guerre mondiale.

« Asseyez-vous, nous parlerons de cela plus tard, très exactement ce soir après la classe, pendant votre heure de colle. »

Daniel !

« Mais...

— Asseyez-vous. »

Silence terrible. Il est de cette race qui se dit : « Pour avoir la paix toute l'année, il faut faire un exemple dès le départ. » L'exemple, c'est moi.

Ça me gronde dans la poitrine.

Il n'a pas le droit, dehors il y a la vie, le soleil qui revient et, là-bas, vers l'ouest, c'est La Garenne.

Elle devait avoir lieu, cette fête, on devait rire, descendre par les boulevards, oh ! pas longtemps, parce qu'il doit remonter vers les banlieues et moi dans mon Passy, mais il y a un mois que j'y pense, un mois que je me fais ce rêve de gambades, et ce vieux avec sa blouse et sa discipline qui rentre dans mon paradis comme un canon, qu'est-ce qu'il croit ? Que les théorèmes, c'est plus important qu'Humphrey Bogart ? Pauvre type, va !

« Tu veux mon mouchoir ? » souffle Nathalie.

Je renifle dans mon Kleenex. Il va m'attendre, tout seul, en haut des marches, avec les gens qui courent partout, qui se bousculent. Et après, comment on va faire pour se voir ? Demain, il ne pourra peut-être pas... Vieux salaud !

Classe de français.

Elle ne va pas durer longtemps, celle-là. C'est le genre super-copine : robe gitane et cheveux crêpés, on sent qu'elle a envie de nous offrir des pilules comme on distribue des chocolats. Dans un mois, elle sera plus dure qu'Eisenhower ; la bourgeoisie gauchiste en action. Elle a des bottes western à soixante dollars. Vautrée sur le bureau. Qu'est-ce qu'elle croit, qu'on fait une surboum sur la côte pacifique ? Qu'on va se passer des joints ? Crétine, va. « Je ne serai pas exigeante pour la discipline », tu parles que tu ne seras pas exigeante, tu n'as pas intérêt, ma grosse, et personne ne te confondra avec Angela Davis. Ah ! on doit en faire des choses ! On va en passer du bon temps avec tes promesses — « et puis, si on s'entend bien, on ira au théâtre, au ciné, un p'tit voyage en fin d'année, un week-end-neige », toutes sur la même luge, évidemment ! Qu'est-ce qu'elle m'énerve !

Paf ! un devoir.

Qu'est-ce que j'avais dit ?

Et puis alors le sujet, une vraie petite perle d'originalité : « Quel est votre meilleur souvenir de vacances ? » Question tout à fait d'actualité. Ça a commencé dès la première classe et, depuis, ça continue, il y a toujours un prof génial qui vous demande ça. Je devais le voir tout à l'heure, mon meilleur souvenir de vacances, voilà tout ce que je peux te dire, abrutie.

« Tu veux mon mouchoir ?

— Je t'ai déjà dit non, merde. »

Ce qu'elle peut être collante, la Nathalie ! un vrai palmier-dattier.

Allons-y pour la rédac. Ça va fumer.

« Comme on me pose régulièrement la même question tous les ans, je vais y apporter la même réponse parce que je ne vois pas pourquoi ce serait toujours aux mêmes à se débrouiller pour trouver un peu de neuf. »

Et toc. Tu pourras lire ça à haute voix dans ta prochaine réunion syndicale, ma grande.

« Mon meilleur souvenir de vacances, c'est lorsque, avec mes parents, nous nous sommes arrêtés sur l'autoroute, que nous avons déplié les chaises, la table, les serviettes, le couvert, et que... "ô surprise ! ô joie ! oh ! là, là ! Victoire !" nous sommes-nous exclamés, et vraiment nous étions ravis ! Il y avait vraiment de quoi, jugez plutôt : il restait encore plein de glaçons dans la bouteille thermos ! Imaginez notre enthousiasme. »

Elle va être folle de joie en lisant cela ; une vraie petite rédac gauchiste.

Que fait-il en ce moment ? Il est moins à plaindre que moi, il croit que nous allons nous voir tout à l'heure. Il faut que je le prévienne absolument, mais que faire...

Ah ! oui, au fait.

« Nous déballons tout notre repas et commençons à manger avec grand appétit parce que six heures dans une Barracuda, ça creuse, et c'est dans la plus totale bonne humeur que nous prenons ce merveilleux repas de vacances. »

Tu parles. Je vois d'ici Kay pique-niquer. Elle tomberait raide morte si elle voyait de la moutarde sortir d'un tube.

Continuons le chef-d'œuvre.

« Comme les oiseaux chantaient ! Partout la nature était en fleurs, les autos nous frôlaient joyeusement comme si elles aussi étaient pressées d'atteindre l'air pur de la mer ou de la montagne. Nos appétits aiguisés par le vent, nous dévorâmes à belles dents les mets préparés avec soin, et c'est dans l'allégresse la plus grande que nous regagnâmes le parking. »

Quel ennui ! A présent que je me suis engluée dans les passés simples, cela va être coton d'en sortir.

Daniel, Daniel, Daniel.

L'échalas me pousse du coude.

« Qu'est-ce que tu marquer comme souvenir ? »

Elle aussi, elle doit avoir des vacances épouvantables, des vacances sans homme. Elle n'a pas encore dû rencontrer le palmier de ses rêves avec lequel elle fabriquera des petites dattes.

« Tu n'as qu'à raconter le feu d'artifice du 14 juillet. »

Nathalie soupire et chuchote :

« J'y pas étais.

— Aucune importance. »

Jésus ! et tout cela ne fait même pas une page.

« Nous continuâmes le voyage, bien repus et réconfortés par cette halte, et... »

Et quoi ? Qu'est-ce qu'on a bien pu fabriquer dans cette sacrée voiture ?

« ... et ma sœur se mit à chanter *Yankee Doodle*. »

Je suis fille unique, évidemment, mais cette grenouille de choc n'est pas censée le savoir. Toujours une ligne de gagnée.

« Puis nous nous disputâmes quelques instants, mais ma mère nous gronda gentiment, ce qui fait que, légèrement honteuses... »

Légèrement honteuses ! Une merveille de style !

« Légèrement honteuses, nous nous tûmes. »

Ça fait drôle, « nous nous tûmes » ; même les surdoués ont des problèmes de passé simple.

Daniel, le sourcil froncé, scrutant les visages, désespéré.

Mon Dieu, ce n'est pas possible.

Demain, je mets le feu au lycée. J'incendierai aussi son collège par la même occasion. Incendies parallèles au lycée franco-américain et à La Garenne-Bezons.

« Encore quelques minutes à présent, et je ramasse les copies. »

Tiens, je l'avais oubliée, celle-là.

Seigneur, je n'aurai jamais fini.

« Nous nous tûmes... »

« Nous nous tûmes et, la tête sur les coussins moelleux, nous... »

Qu'est-ce qu'on peut bien trafiquer la tête sur un coussin moelleux ? Eurêka !

« ... nous regardâmes, et soudain ce fut la mer. Nous étions arrivés. Quel merveilleux souvenir de vacances ! »

Et hop ! expédié. Un trait dans la marge, et voilà le travail.

Dans une heure, je devrais sortir. Je veux le voir. Je veux le voir.

« Tu veux mon mouchoir ? » souffle Nathalie.

Cette fois, je l'ai pris parce que tous mes Kleenex sont trempés.

Tous nos espoirs, ce jour, nous furent retirés.

Daniel.

VII

La journée la plus débile de ma vie. Courir dans les couloirs pour chercher les fournitures, les classeurs, les équerres, tout des trucs neufs qui puent le plastique et la tête des profs en prime : on dirait toujours à les voir qu'on va travailler comme des fous sans respirer une seule minute, pendant vingt ans d'affilée. Ça coupe le moral.

On peut pas dire que je suis en avance, disons que

dans vingt minutes je serai à l'heure et n'en parlons plus.

C'est pas mal, la gare Saint-Lazare, un peu bruyant, mais au point de vue bâtisse, c'est du solide et, comme décoration, rien à voir avec le Louvre, mais enfin il y a de la recherche.

C'est ici, juste en haut des marches. Elle viendra d'en bas, elle va monter vers moi par l'escalier mécanique, comme Ginger Rogers quand elle s'élève vers Fred Astaire.

Trac — Trac — Trac — Trac.

C'est simple, j'ai toujours le trac avec elle, j'arrête pas. Pour lui parler la première fois, pour la revoir la deuxième, pour la bise, pour tout, j'ai le trac.

Pourtant, on peut pas dire que je sois angoissé de nature.

Quel boulot ce matin pour que Françoise me laisse mettre mon blouson avec les clous ! « Tu vas pas mettre ça pour l'école ! Ça te donne un genre. »

M'en fous pas mal, de l'école. Depuis fin juillet, j'ai prévu que je serai là avec mon blouson ; elle ne m'a jamais vu avec, et je pense qu'il m'élargit.

Encore un bon quart d'heure. Pas de quoi s'énerver. En anglais, ça ira, il a pas l'air trop vache. En français, ça va être tartignole, je le sens déjà ; dès la première heure : « Quel a été votre meilleur souvenir de vacances ? » Je l'avais déjà faite, celle-là. J'allais tout de même pas lui raconter que j'avais dragué Lauren et nos folles étreintes palpitantes, et comment je me sentais Burt Lancaster... J'ai raconté une partie de pêche, tout inventée parce que je n'ai jamais foutu les pieds à la mer, mon émotion terrible quand j'ai sorti ma première sardine, les exclamations des spectateurs, de la connerie, quoi ! J'ai horreur de la pêche et du poisson aussi avec toutes ces arêtes... Beurk. Enfin, c'est le genre d'histoire qui doit faire plaisir à un prof. Il va sans doute trouver que c'est finement observé. Borné, le mec.

Lauren.

C'est marrant, la vie, le temps, toutes ces choses... Il y a eu un moment où on était séparés par un mois et, à présent, ça ne fait plus que quelques minutes. Douze exactement. En supposant qu'elle soit à l'heure, parce qu'en général les filles...

Mais pas Lauren.

Et puis pourquoi je dis ça « en général les filles », c'est pour faire bien parce que j'en ai jamais attendu. C'est encore un truc qu'on raconte.

C'est un vrai monument, cette gare, avec des coiffeurs, des cafés à l'intérieur, et le pire, c'est la musique. C'est rempli de mecs qui crapahutent, vannés, qui cavalent vers les autobus et les trains, et là-dessus ils passent du Johann Strauss. C'est curieux comme effet, ça les apaise pas du tout, les mecs, absolument hermétiques au langoureux, pas un qui valse.

Je me vois dans le reflet des guichets-banlieue : fine allure, jeune distingué. C'est vrai que ça m'élargit le blouson, on dirait Johnny Weissmuller. L'emmerdant, c'est l'épi. J'aurais dû le coller au Limpidol, parce que là, il rebique nettement. Ça fait pas laid dans un sens, mais faut aimer le hussard pour apprécier.

Un mois et demi que j'attends. Mordu, le mec. Malgré mon intelligence et mon expérience de la vie, je me suis fait épingler de première.

A certains moments même, je nous imagine mariés, c'est dire où j'en suis !

Lauren et moi dans le jet. Direct sur la Californie où nous attend la piscine modèle Beverly Hills avec Robert Redford qui nous guette à l'aérodrome. Bingo.

Enfin, je peux dire que, depuis un mois, je gamberge. J'ai dû faire trois tours du monde avec elle, je l'ai descendue une dizaine de fois de tours en flammes (j'adore les films-catastrophes) ; je l'ai sauvée de pas mal de sinistres salopards, à Hong Kong en particulier où ça a été assez dur. J'ai liquidé pour elle une quarantaine de mecs de la C.I.A. pourtant rusés et bourrés de gadgets, on a chassé pas mal de tigres et, la fois où elle a glissé de l'éléphant, juste au moment où ma carabine Springfield s'est enrayée, ça a été vraiment au millimètre : ça s'est terminé au couteau, et j'ai bien cru que je ne l'aurais pas, le sacré félin, mais après, c'était formidable, elle me refaisait le pansement toutes les cinq minutes en m'apportant du whisky plein de glaçons, et dehors les singes qui poussaient des cris dans leurs cages et le Kilimandjaro plein de vautours impassibles, là on peut dire que c'est elle qui m'a arraché à la mort, un peu comme John Wayne dans *Hatari*.

Ce que j'aime pas trop dans ce genre de film, c'est que les types ont des shorts très larges, et avec mes allumettes, ça fait gringalet comme allure.

Six minutes. Dans sept minutes, elle est en retard. Bon Dieu, cet épi... Si j'avais des ciseaux ou quelque chose de ce genre... Mais je n'ai plus le temps, surtout si elle est en avance. Ça m'étonnerait qu'elle soit en avance, mais on ne sait pas...

On ne va pas avoir beaucoup de temps parce que mon train de retour est dans une heure, mais ce sera suffisant. Elle doit toujours boucler autant. Pourvu que je la reconnaisse ! Quel con ! Comme si on avait vieilli tellement !

Mais c'est vrai que j'ai oublié longtemps son visage, j'avais beau me dire : elle a les yeux verts, le nez qui fronce, la fossette, J'avais beau additionner les détails, j'avais pas le total, c'était atroce. A présent, j'y arrive mieux.

Qu'est-ce qu'ils peuvent faire chier le monde avec *Le Beau Danube bleu*...

Je commence par le nez, je remonte et, tout à coup, ça fait un déclic : elle est là, c'est comme quand on éclaire dans une pièce : tout est là d'un coup.

Trois minutes.

Elle n'a pas oublié, c'est sûr que non. Si les trois prochains voyageurs qui sortent sont trois hommes, elle sera à l'heure. Attention..., un mec, un autre... Merde !

Ça ne veut rien dire, tout ça. Une fois, je l'ai tirée des griffes de la flibuste. En pleine mer des Sargasses, parce que je nous ai fait voyager aussi dans le temps, Lauren et moi, ça a été un travail terrible pour la tirer de là, des duels à perte de vue...

C'est l'heure, trente secondes encore et c'est l'heure. Jésus !

Je suis drôlement bien placé : l'aiguille au-dessus de moi, l'horloge énorme et les secondes qui défilent...

Ça y est.

Ne panique pas, Humphrey, calme, *old man*, calme. Une de perdue, dix de retrouvées, mais... C'est fou le monde qu'il y a à présent, ça débarque par banlieues entières, et les autres qui foncent en sens inverse : Argenteuil, Versailles, Bois-Colombes, mais drame terrible, dans toute cette marée, dans toutes ces filles, il n'y a pas de Lauren, c'est l'injustice totale ; j'ai pris le train, moi, j'ai été exact, même en avance, et je ne pense qu'à ça depuis un mois, et la minute est passée : comme les autres, le moment que j'attendais est déjà mort.

Et toute cette préparation, l'eau de Cologne, le blouson, tout le bataclan, même des chaussettes propres et les anciennes n'étaient pas sales. Merde.

Je vais jusqu'aux boîtes aux lettres et quand je reviens elle sera là.

En avant. Un monde fou. On n'entend plus du tout le foutu *Danube bleu*.

Et si elle arrive d'un coup, ne me voit pas et repart ?

« Pardon... »

Le flot m'emporte, c'est la ruée de 17 heures 41, la charge de la brigade légère vers Nanterre et Sartrouville. Faut remonter le courant. Certain qu'elle m'attend.

Personne.

J'en ai un froid dans l'estomac. Quatre minutes de retard.

Elle ne viendra plus. Si. Allez, je compte jusqu'à vingt et elle est là.

Et tout à coup, la terreur abjecte ; mon épi se dresse droit, je l'ai senti : il y a deux sorties rue de Rome !

Et elle m'attend à l'autre, c'est sûr. Et elle a dû déjà partir !

Oh ! le con, le con, le con, le con !

Qu'est-ce que je fais ? Je cours ou bien...

« C'est vous Daniel ? »

Trois mètres de haut. Je reste figé.

D'où elle sait mon nom, cette géante ? Avec ses socquettes en layette et son cartable kaki, c'est vraiment un tournant de la mode.

« C'est moi. »

Elle devient rouge, Hé ! les mecs, au viol, on me drague.

« J'suis la amie à Lauren. »

Le *Danube bleu*. On l'entend toujours derrière la foule, c'est beau quand même comme musique, ça tourne, ça emporte, c'est une musique à tourbillonner sous des lustres avec une fille bouclée. C'est une Américaine aussi, un accent du feu de Dieu, on dirait Richard Nixon.

« Elle peut pas venir parce qu'elle s'est fait punition.

— Déjà ? »

C'est sorti malgré moi. Moi aussi, ça m'arrive, mais jamais si vite.

Il y a de plus en plus de bousculades, et la grande gigue écarlate rebondit sous les coups de coude.

« Elle m'a donné lettre et je peux donner réponse si vous voulez vous. »

Elle fait une grimace molle et elle dit pour me rassurer complètement.

« J'suis la amie à Lauren. »

Sympa dans le fond, l'échalas, mais pas sexy du tout. Aimable, je la remercie.

« C'est rien ; l'embêtement, c'est que ça me fait trois bus pour repartir ma maison, mais Lauren m'a demandé et c'est ma amie. »

C'est une fille qui se répète un peu, mais bien dévouée tout de même. J'arrive mal à décacheter.

> *Cher Daniel,*
> *Je suis punie, un vache de prof. Je t'expliquerai. Je ne peux pas te voir. J'en ai presque pleuré. Mercredi après-midi, je dirai que je sors avec Nathalie Woodstein et on pourrait se voir si tu es libre, dis-lui si c'est possible et à quelle heure et à quel endroit.*
> *J'ai pas le temps d'en mettre des pages et des pages parce qu'on est en sciences nat, mais à mercredi j'espère.*
> *Love. Lauren.*

Ça tourbillonne aussi dans mon crâne, j'arrive pas à réfléchir. Mercredi, normalement, je vais au foot, mais je n'irai pas, je dis à Françoise n'importe quoi et... à trois heures je suis à Paris, ça doit pouvoir aller.

« Mercredi trois heures, dis-je. Vous pouvez lui dire ça. »

Grimace de la géante.

« Bien sûr je peux, dit-elle. Et où ? »

Ça, je n'y pensais plus. Je n'arrive pas à rassembler mes esprits, tout va trop vite. Je la regarde et ça me donne une idée.

« L'obélisque, dis-je, ce grand truc sur la place de la Concorde. »

Elle semble vexée mais acquiesce.

« J'ai le temps, dis-je, je vais te raccompagner à ton autobus. »

C'est assez galant, je trouve, comme procédé, et puis faut la ménager, Nathalie, on peut avoir besoin d'elle et j'ai toujours eu un faible pour les Américaines.

Je suis brusquement en pleine forme.

« Alors, cette rentrée, ça s'est bien passé ? »

Nous descendons les marches et elle baisse la tête vers moi.

« Petitement », dit-elle.

J'aime bien Nathalie. Mais ça a été quand même une sacrée rentrée.

VIII

Les Tuileries, c'est le plus beau jardin du monde. C'est la France du Grand Siècle, c'est le contraire de Tucson. Moins pour la perspective, le bassin, les escaliers ou les statues, que parce que c'est comme une plage de calme. Tout autour des grilles, c'est la ruée, la mer des voitures et des vitrines.

Je ne peux plus continuer, encore dix pas et je m'évanouis.

« Il faut que l'on s'arrête, Daniel, j'ai une ampoule. »

Il pile et se penche.

« C'est des souliers neufs ? »

J'acquiesce. Je ne vais pas lui dire que je les ai mis pour lui. J'ai fait une vie terrible avant-hier à Kay pour qu'elle me les offre, mais j'ai dû les prendre un peu serrés. Cela me fait du feu au talon.

Son visage revient vers le mien.

« On a beaucoup marché », dit-il sentencieusement.

Malgré la douleur, cela me fait rire ; plus de deux heures que nous arpentons les allées. Je reste debout sur une jambe avec un pied qui chauffe à huit cents degrés.

« Les bancs sont mouillés, on ne peut pas s'asseoir. »

Il se gratte le crâne et prend un air soucieux. Je l'adore quand il fait ça, ça lui donne dix ans de moins.

« Faut absolument que je dégotte du fric ; regarde, on n'a même pas de quoi se payer un coup au bistrot.

— On pourrait revendre mes tickets d'autobus »,
dis-je.

Je m'agrippe à lui pour ne pas tomber. Je dois
ressembler à une cigogne.

Il semble indigné.

« C'est quand même un monde ; regarde, on est là
comme des clochards.

— On pourrait aller se chauffer dans le métro,
dis-je.

— Avec un kil de rouge et du fromage. »

Nous oscillons un peu, immobiles. La nuit va tomber bientôt ; tout là-bas dans la brume, au bout des
milliards de gouttelettes, c'est l'Arc de Triomphe et
des tours qui dépassent, violettes, comme la fin du
monde ou le début d'un nouveau.

« Je peux te porter, dit-il. Tu mets ton bras là, et hop,
j'enlève le colis.

— Avec tes muscles d'acier ?

— Avec mes muscles d'acier ! »

L'odeur mouillée de ses cheveux est un peu comme
celle de l'herbe douce qui pousse au bord des vieux
chemins.

Comme nous devons être petits dans Paris tout
autour refermé ! Les pigeons piquent vers le Louvre
et choisissent les statues dans les niches ; ce sont des
oiseaux aux couleurs des pierres, assortis à la ville.

Lorsque je ne marche qu'avec la pointe du pied,
c'est supportable, mais on n'avance pas vite.

« On est des prisonniers du dehors, dit Daniel ; on
ne peut pas se payer une toile, si on veut faire un
flipper, on se fait éjecter et, partout où tu vas, tu as des
chances de tomber sur des flics.

— Vous êtes perdus, mes petits ? »

Nous sursautons ensemble. Celui-là, on peut dire
qu'il sait marcher en silence, même sur les graviers,
ça n'a pas crissé une seule fois.

« Non, dit Daniel, on reprend le bus et on rentre. »

Il ressemble à une gravure sur le manuel de français, il est vêtu démodé, avec un feutre large comme on n'en fait plus, le genre artiste montmartrois.

« L'ami des pigeons. » Ça y est, ça m'est venu d'un coup, c'est un texte de Dieu sait qui, intitulé *L'Ami des pigeons*, et on voit un vieux monsieur comme lui qui lance des graines. Un truc débile, évidemment. J'ai envie de lui demander s'il n'a pas du pain dans sa poche.

Il fait une tête soucieuse tout d'un coup, et me montre ma socquette.

« Mais elle est blessée, la demoiselle ! Vous ne pouvez pas marcher avec ça ! »

Ça fait un peu rouge au talon.

« Sur la pointe, ça va, dis-je.

— Allez, bonsoir », dit Daniel.

Il n'a pas l'air de tellement l'aimer et cela m'ennuie parce que l'ami des oiseaux devient tout triste, et c'est triste un vieux triste, plus triste qu'un jeune triste. Timidement, il lève son feutre.

« Edmond-Julius Santorin, retraité. »

Il se dandine et enfonce ses mains dans un manteau noir qui pèse deux cents kilos.

« Ecoutez dit-il, c'est l'heure de mon chocolat, je vais au café, de l'autre côté de la rue, si vous voulez venir...

— On doit rentrer, dit Daniel, on doit faire nos devoirs et nos parents vont être inquiets. »

Méfiant, ce garçon, mais Edmond-Julius sourit, radieux.

« Vous êtes frère et sœur ! »

Il nous englobe dans son regard et ses yeux s'emplissent de tout le gris de l'univers : le ciel, les toits, ce parc, les murailles et nous deux dedans, gris aussi, devant lui, noir et vieux.

« J'ai eu une sœur autrefois », murmure-t-il...

Ses yeux chancellent un peu comme un équilibriste qui oscille sur le fil tendu très loin dans le passé.

Nous restons tous les trois face à face, perdus, fascinés.

Edmond Santorin se secoue et son sourire découvre un dentier calibré à la gencive porcelaine.

« Alors, ce chocolat ? »

Ce n'est pas loin évidemment, et puis j'avoue que j'ai faim. Nous nous regardons, Daniel et moi. Il devrait tout de même décider, c'est un homme ou non ?

« O.K., dit Daniel, mais on ne s'attarde pas... »

Santorin refait le nœud de son écharpe tricotée et s'incline.

« Juste la rue à traverser », dit-il.

On marche. Daniel me souffle à l'oreille :

« Tu crois pas qu'il est un peu dingue ?

— Ça ne fait rien, il a l'air bien gentil... Un original. »

Le vieux qui ouvre la marche se retourne.

« On le voit d'ici, c'est la grande vitrine. »

Je sens que Daniel aussi a marqué le coup : malgré le bruit de la circulation, je l'ai entendu avaler sa salive.

Ce n'est pas un café, c'est un palace, sous des arcades. Kay doit sûrement connaître. Il y a des velours avec des glands dorés aux rideaux... J'accélère malgré mon pied et nous y voilà.

Porte à tambour.

Silence. De la ouate qui sent bon.

Des moquettes, des garçons avec des plateaux astiqués. Daniel ouvre de grands yeux : cela doit le changer des bistrots de La Garenne.

Pépé Santorin tend son feutre, enlève son énorme manteau et apparaît en costume crémeux 1830, gilet boutonné, cravate large ; c'est super-démodé et c'est dommage qu'il ait un si gros ventre, mais ce vieux n'est pas ridicule, en tout cas il est chez lui ici.

« Asseyez-vous donc, mes jeunes amis. »

C'est comme un musée au plafond, plein de peintures. J'ai quand même bien fait de mettre ma jupe écossaise. Daniel tire sur son blouson. Il est beau comme tout, multiplié par les glaces, un peu raide mais tout beau. Je ne suis pas mal non plus.

On fait couple, quoi.

Edmond Santorin lève un doigt vers le ciel et un diamant brille à l'une des phalanges.

« Je suis sûr que mes petits amis ont envie d'un gâteau. »

Derrière, le serviteur sourit, compréhensif et attendri, attendant nos ordres.

Daniel se tortille.

« On est un peu démunis en ce moment, mais on pourra vous rembourser et... »

Santorin, souverain, écarte les bras comme un crucifié.

« Vous me fâcheriez, c'est un plaisir pour moi ; Armand, qu'avez-vous à nous proposer ? »

C'est formidable, la vie : on erre dans un jardin avec le mal au pied, le rhume qui vient et, dix minutes après, on est dans un palais à se goinfrer de millefeuilles et de mousse au chocolat. Extraordinaire le millefeuille, d'ailleurs. Quant à Santorin, il n'a pas touché à sa tasse, mais, en revanche, il n'a pas arrêté de parler, ça continue d'ailleurs, ça a l'air même d'intéresser Daniel.

« Mon père possédait à cette époque, je vous parle du début du siècle, une immense propriété dans le Vendômois... C'était un pays magnifique, je me souviens qu'enfant je courais avec les galopins du village dans des enfilades de pièces abandonnées pleines d'objets étranges et parfois terrifiants... »

Lancé, le vieux monsieur, il ne doit pas avoir l'occasion de parler beaucoup. Au fond, nous lui rendons service, il se berce, se noie dans ses souvenirs, il y a un charme à tout cela, qui me fascine, c'est vrai qu'il a dû en voir des choses et des choses : des paysages, des visages...

« Vous avez été marié ? »

Il se tourne vers moi et ses doigts dérapent sur la nappe blanche, sa voix change lorsqu'il me répond.

« Oui, il y a longtemps de cela ; ma femme est morte... Nous vivions à l'étranger alors et...

— Elle s'appelait comment ?

— Emilienne, dit Edmond. Je pense qu'elle fut très belle ; pendant les vingt-quatre années que dura notre union, je ne l'ai jamais vue que vêtue de blanc, jamais elle ne porta une autre couleur, du plus loin que... »

Humphrey déglutit une demi-brioche d'un coup et parle la bouche pleine :

« Et c'était quoi, votre métier ? »

Les yeux d'Edmond se sont emplis d'une eau claire, une liqueur d'âme. Il boit lentement et la soucoupe tinte discrètement lorsqu'il repose la tasse.

« J'étais diplomate, dit-il.

— C'est quoi, diplomate ? »

Edmond ne répond pas, il rêve encore.

« Vice-consul... J'ai connu des pays, Emilienne aimait les voyages, nous prenions des paquebots, traversions des océans, puis cela finissait dans des îles minuscules où nous dormions, roulés dans des moustiquaires. Madère, Samanta-Toa, les Hébrides..., les archipels dorés.

— Et à part ça, c'était intéressant, comme travail ? »

J'étais sûr qu'il allait dire ça, ce banlieusard est insensible à la poésie.

« Laisse donc raconter Monsieur ! »

Coup d'œil furibard de Daniel. Ça sent la querelle de ménage, mais c'est vrai qu'il pourrait se taire un peu tout de même.

« Je dois avouer, reconnaît Edmond, que cela m'a laissé beaucoup de loisirs... J'ai pu lire, apprendre le piano. J'avais un Pleyel blanc, je l'avais offert à Emilienne pour notre anniversaire de mariage, nous en jouions souvent, au cours de ces interminables crépuscules qui incendient les îles du Pacifique ; les nuits n'en finissaient pas d'arriver et nous jouions encore, interminablement. »

Sur la nappe, ses doigts s'agitent, miment des gam-

60

mes dos entrelacs lents et compliqués. Il est parti, cette fois, il est dans les îles en plein, recouvert par les palmes.

« Fauré, Ravel... Elle adorait. Les jours passaient, identiques ; parfois, rarement, de la fenêtre du bungalow, nous voyions des bateaux glisser sur la mer, des indigènes chantaient... »

Qu'est-ce que je suis bien... La chaleur, les gâteaux, ma tête sur l'épaule d'Humphrey, je m'endormirais bien, doucement, avec lui. *Sleep and love.*

Il m'a embrassée tout à l'heure, derrière une des statues.

Dans ce baiser, Pyrrhus, mon âme t'est livrée.

Fantastique. C'est charnel aussi comme amour. Je me demande où on va s'arrêter sur ce chemin-là. Waou ! Mais, à nos âges, il faut se cacher plus que les autres et ça, c'est terrible. Je suis sûre que si on s'embrasse dans la rue, on se fera balancer des seaux d'eau en plein hiver par toutes les concierges.

« C'est pas tout ça, dit Daniel, mais il faut qu'on s'en aille, ma sœur et moi. »

Edmond-Julius sourit merveilleusement.

« C'est juste, dit-il, il ne faut pas que vos parents s'inquiètent : je vais vous raccompagner. »

IX

Collant comme mec mais pas radin, faut reconnaître.

C'est un peu écœurant les gâteaux ici, ou alors c'est le chocolat chaud, mais ça me fait comme le jour du bateau-mouche. Je suis le seul mec au monde à avoir envie de dégueuler sur une rivière. Pourtant c'est faible la Seine comme tangage, eh bien, j'étais quand même tout vert, à ce qu'on m'a dit.

« Et, à présent que nous avons pris notre goûter, nous allons rentrer bien sagement, n'est-ce pas ? »

Il fait un peu mielleux. Je me demande quel âge il peut avoir.

« Quel âge est-ce que vous avez ? »

Edmond ramasse la monnaie et glisse les pièces dans sa poche de gilet. Il se redresse un peu comme pour essayer d'avoir moins de bide, mais c'est vraiment pas possible.

« Je ne suis plus très jeune, jeune homme, plus très jeune. »

Merci du renseignement, ça, je m'en doutais.

Lauren me fait des yeux terribles comme si j'avais dit « merde » ou quelque chose de ce style.

« Je vais faire quelques pas avec vous.

— Ne vous dérangez pas, dit Lauren, vous êtes trop gentil. »

La voilà partie dans les mondanités. Alors là, on peut dire que c'est son éducation qui ressort, elle aurait bien besoin de faire un stage à La Garenne pour qu'elle voie ce que c'est que de s'exprimer avec naturel. Pas de tralala avec Marcel Michon, pas de subtilités, quand il dit « Passe-moi la margarine », faut pas lui tendre le sel. Enfin, comme dirait le poète, notre amour escalade les barrières sociales. Bingo.

« Je suis désolé, dit Julius, mais ma voiture est au garage, une vieille Bentley, très démodée, mais spacieuse... Un collectionneur m'en a fait une offre intéressante. J'ai refusé. »

Il sourit et ajoute.

« Un reflet d'une vieille splendeur... »

Lauren le regarde tendrement. Ma parole, elle devient amoureuse de ce vieux mec... Il est temps de calter.

« Salut, m'sieur Santorin, et merci pour le tout. »

Julius se lève, s'incline, on dirait un vieil acteur d'un

vieux théâtre, il reste comme de la poudre sur ses joues tremblotantes.

« Je vais rester encore un peu... J'ai été ravi de bavarder avec vous, d'évoquer des choses... »

Ma parole, il va pleurer... Je laisse Lauren finir les adieux et m'approche de la porte. Le loufiat secoue la tête.

« Sacré Julius », dit-il.

Il a une tête de vieux gangster dans les films de série B. Il veut dire quelque chose, c'est sûr, il ne demande que ça, une question et il va lancer son moulin à parole.

« Qui c'est, Julius ? »

Le loufiat démarre comme prévu :

« M. Santorin est un ancien chef de gare à Villeneuve-Triage, il est à présent à la retraite, son plaisir consiste à ramasser des gens susceptibles de l'écouter, à leur offrir tout ce qu'ils désirent et à leur raconter des voyages imaginaires. »

Il s'arrête, a une grimace sarcastique et achève :

« Il faut ajouter que M. Santorin n'a jamais été marié et qu'il n'a jamais franchi les limites de la Seine-et-Marne. Hier il racontait à un couple d'Anglais qu'il avait été propriétaire d'une mine de cuivre au nord de Canberra, en Australie, et qu'il avait mangé sa fortune au cours d'interminables pokers dans ces bateaux à aubes qui remontaient autrefois le Mississippi. M. Santorin a lu énormément. »

Je le regarde. Il embrasse Lauren qui rosit et vient vers moi.

Nous sortons.

« Merveilleux, dit-elle, vraiment merveilleux, ce vieux monsieur est merveilleux.

— Tu l'as dit trois fois. »

Je n'ai pas envie de lui dire la vérité... Plus tard, à l'occasion... Aujourd'hui, ça servirait à quoi ?

Elle en rêve encore...

« Quelle vie merveilleuse... Il a dû connaître le monde entier... »

Ça c'est l'évidence même, Villeneuve-Triage en particulier.

Métro.

Elle n'arrête pas de parler d'Edmond-Julius. Elle en a oublié son talon, du coup, ce sont bien des psychiques, les Américaines.

J'aimerais bien recommencer la bise de tout à l'heure, mais il y a trop de monde partout... La mémé avec le chignon mousseux nous quitte pas d'un sale œil et si jamais j'avais le malheur de lui beurrer une biscotte, à ma nana, elle hurlerait au triple viol, à la décadence, à la dépravation des mœurs et j'en passe.

Saint-Lazare. Lauren descend avec moi.

Pas un endroit pour se planquer, pas un seul coin un peu poétique pour se retrouver et s'échanger des répliques tendres mais modérées comme des dialogues de la Paramount... Ce peut être fantastique un départ, dans *Vacances à Venise*, on voit le mec qui cavale avec sa fleur, et le train qui accélère et Katharine Hepburn qui se penche à la portière, et ça prend de la vitesse et elle ne l'aura jamais, sa rose, et il reste là avec son bras tendu et la musique derrière qui monte, monte... C'était grandiose et j'ai bien compris qu'ils ne se reverraient pas, tandis qu'ici, pas un seul coin qui ait un peu d'allure, rien qui sente la fatalité, mais je l'aime, moi, Lauren.

Je m'arrête dans le renfoncement des boîtes aux lettres et alors là, comme dans *Vera Cruz* quand Gary Cooper s'approche de la blonde et qu'elle met sa tête sur son épaule et qu'il fait vachement protecteur, je me sens immense tout d'un coup, et tous ces gens autour, ce sont des figurants, des silhouettes, tandis que nous deux, en plein dans les projecteurs, au centre de l'écran et du monde, cinémascope géant et Technicolor.

« Faut pas être triste, Lauren... On se quitte, mais faut pas être triste. »

Même ma voix est grave, je m'entends comme dans un haut-parleur.

Elle lève les yeux et c'est comme si la mère Garbo sortait de sa retraite.

« On peut se revoir dimanche, je dirai que Nathalie m'invite... »

Jeudi, vendredi, samedi. Trois jours sans elle, ce sera long.

« Tu peux ?

— Je peux. »

L'horloge au-dessus de nous en contre-plongée : gros plan sur les aiguilles inexorables comme chez Hitchcock. Mon train démarre dans deux minutes. Ce soir, Cooper ne regagnera ni Tombstone ni Abilene, il rejoindra La Garenne, la banlieue du crépuscule.

Un bisou rapide, elle est partie, très vite.

Comme toutes les stars.

Bingo.

Trois jours.

X

« Personnellement, je trouve lui un peu petite mais mignonne, mignonne. »

Surprenante Nathalie. Lorsque nous avons pro-cédé à l'inévitable visite au Louvre, l'année dernière, toutes les nanas louchaient sur les testicules d'un Apollon. Le style beau blond, musclé sans excès mais un peu froid, bien sûr. On s'est toutes extasiées. Sauf Nathalie.

Elle faisait sa petite bouche, ce n'était pas son genre, elle n'a pas su dire pourquoi. Il ressortait de ses remarques qu'elle préférait le genre déménageur avec casquette graisseuse et mégot Gitane maïs. En fait, quand elle s'attendrit (ça se passe à la veille des vacances), elle me raconte son amour impossible avec son cousin Bobby Mac Apaloos ; c'est la différence d'âge qui les sépare, il va sur ses quatorze ans et il drague devant elle toutes les vendeuses des drugs de Chicago. Il pousse la cruauté jusqu'à leur sucer la pomme pendant des heures tandis que la grande perche de Nathaloche fait le guet à la porte du magasin en prenant l'air dégagé et compréhensif. Je la vois d'ici : une martyre, cette fille. Persuadée qu'un jour il reconnaîtra son erreur, que ses yeux se dessilleront et qu'il s'écriera en la couvrant de bises : « Ciel ! J'ai failli passer à côté du bonheur ! » En attendant, elle dessine plein de B majuscules sur son classeur et elle montre la photo de l'aimé à qui veut la voir.

Les bottes d'égoutier et la canne à pêche, ça n'avantage personne, c'est certain, mais je me demande bien ce qui pourrait l'avantager. Peut-être la chirurgie esthétique, à condition de refaire le tout. L'amour est aveugle, c'est bien connu, et en l'occurrence c'est une vraie chance.

Evidemment, Daniel est plus petit que Mac Apaloos, mais je ne tiens pas à avoir à mettre des talons de quinze centimètres pour le regarder dans les yeux. Et il faut voir le ton condescendant avec lequel elle dit « mignonne ». On dirait qu'elle parle d'un chat malade. J'ai beau me dire qu'elle est à plaindre, elle m'énerve à un point fou.

« Et Bobby, comment tu trouves lui ?

— A mon avis, il n'y a que la tête qui cloche. »

Elle n'entend jamais quand je lui dis du mal de Mac Apaloos. L'amour est sourd autant qu'aveugle. Elle se tortille, louche vers la prof qui postillonne allègrement dans le soleil d'hiver et, après un effort terrible qui la fait ruisseler, elle lâche :

« Et physiquement, où êtes-vous en ? »

Ça, ça la travaille, la grande Woodstein, je l'ai bien vu à sa manière de loucher vers les frontons des cinémas pornos ; elle dit que c'est dégoûtant, qu'elle ne pourrait jamais faire ça, mais elle a la salive qui lui tombe sur les chaussures.

« O.K., dis-je, O.K. »

Elle trépigne sous son bureau et halète.

« Ça dire quoi, O.K. ?

— O.K. »

Gémissement qui fait tourner les têtes ; elle chuchote, sa voix est comme une larme qui coule le long d'une vitre.

« Tu peux bien dire... Tu n'as confiance pas ?

— Top secret, dis-je, *not disturb*, vie privée, étranger s'abstenir, *hard-core*. »

Le trépignement s'accentue.

« Il même pas embrassée, j'en suis sûre, vous intellectuels êtes. »

Rusée, va. Psychologue.

« On fait l'amour, dis-je, dans tous les sens et sans arrêt. »

Oreste avec Hermione s'en donne à cœur joie.

Bruit de glotte violent ; ses yeux grossissent et tombent sur la table.

« C'est pas vrai, c'est pas vrai, c'est pas vrai, dit-elle, c'est pas vrai, c'est pas vrai, c'est pas vrai. »

Je ricane.

« Où ça, dit-elle, où ça, où ça, hein ? Où ça ?

— Dans la cave ; c'est bourré de matelas. En dessous de chez lui. »

Elle reste exorbitée. Ça doit tourner dans son petit crâne. Elle revient à la réalité subitement et copie directement l'exercice sur mon cahier. Il y a beaucoup d'avantage à se mettre à côté d'une surdouée.

Elle me pousse du coude.

« Moi, dit-elle, je ne pourrais pas ça faire.

— Faire quoi ? »

Elle arrondit la bouche et on dirait qu'elle suce un bonbon glissant.

« L'amour. »

Je hausse les épaules.

« Question d'habitude ; c'est parce que tu es bourrée de complexes. »

Ça a l'air de la rendre furieuse de le savoir.

« Je trouve c'est toi es pleine de complexes pour faire ce que tu fais... Quand aimer vraiment quelqu'un..., on couche obligatoirement pas avec lui.

— Ah ! bon, dis-je.

— Il n'y a pas " ah ! bon ", c'est comme ça.

— Alors, qu'est-ce qu'on fait avec, dis-je, on attend qu'il pleuve ? »

Elle ne répond même pas et son expression m'horripile fantastiquement.

« Pauvre Woodstein, dis-je, tu n'es pas la fille de Minos et de Pasiphaé, toi. »

La prof s'arrête de parler. J'ai dû m'exclamer trop fort.

« Eh bien, mademoiselle, c'est terminé, les bavardages ? »

D'accord, c'est terminé. Bien sûr, je m'amuse à faire croire ça à Nathalie, mais au fond, c'est vrai qu'on a pas mal de complexes, Daniel et moi, parce que si on avait voulu, pendant les vacances, on aurait pu : il y avait des haies partout, des bois, des cachettes. On ne l'a jamais fait. Pas surdoués pour tout.

Et puis on a peur. Si l'on nous surprenait, ce serait un scandale. L'amour à onze ans, c'est du vice.

> Si tu venais ce soir sur les remparts de Troie,
> Je serais toute à toi, Seigneur, j'en engage ma foi.

Vendredi à peine. Ce samedi va être interminable. Il va y avoir encore une de ces soirées d'amis dont mon papa a le secret : réunions mondaines de tarés prétentieux. Des I.T.T. plein le salon, incapables de différencier une racine cubique d'une double paranoïa. Et moi, évidemment, au lit à dix heures, et la révérence devant les dadames..., mais dimanche... Bingo, comme dit Daniel.

Je pousse Nathalie qui boude, bouche ouverte.

« Au fait, il faut que dimanche tu m'invites chez toi. »

Elle cligne des yeux en hibou, renifle et ânonne :

« Pour quoi faire ? »

Ça y est, l'énervement me reprend. Il faut expliquer des heures.

« Je ne te demande pas de m'inviter vraiment, mais je dirai chez moi : " Nathalie m'invite à passer le dimanche après-midi chez elle... " Alors, si tu vois ma mère et qu'elle te demande si on s'est bien amusées, ne fait pas l'étonnée, ne dis pas : " Ah ! non..., elle n'est pas venue ! " avec ton air battu et ta vue basse. »

Elle mâche un chewing-gum imaginaire, ses mâchoires se serrent farouchement ; une veine apparaît à son front, ses poings se crispent : elle pense.

« Et pendant ce temps vous allez vous donner dans la cave ! »

Ainsi, elle ne pense qu'à ça depuis tout à l'heure. Je connais cet œil de juge sévère ; c'est celui de quelqu'un qui s'apprête à refuser un service.

« Ce n'est pas vrai, dis-je, c'était pour te faire marcher. »

Elle s'est tournée complètement et me regarde. Il y a de l'espoir en elle, elle a l'air déjà contente.

« C'est vrai que c'est pas vrai ?

— C'est vrai », dis-je.

J'ajoute, parce qu'avec elle il faut vraiment mettre les points sur les *i* :

« Tu n'as pas cru vraiment que je pouvais faire une chose pareille ? »

Elle se ramollit d'un coup.

« Je disais que c'était pas possible ; tu vois, moi, avec Bobby..., je ne pourrais pas. »

Je suis toute prête à te croire, ma mignonne.

« Mesdemoiselles, vous resterez après les cours pour quelques exercices supplémentaires. »

Ça, ça devait arriver. Tous les soirs, j'ai droit à des heures supplémentaires non payées. C'est pire que chez I.T.T., cette boîte.

Sonnerie. Tout autour, les filles rangent leurs affaires à grand fracas de sacs claqués sur les tables.

« Alors, c'est d'accord pour dimanche ? »

La grande Woodstein me fait son sourire Vache-qui-rit ; bien sûr qu'elle est d'accord, elle sait trop qu'en cas de refus je lui en ferais baver pendant des siècles, et puis... Elle est bien placée pour savoir ce que c'est que la folle passion : elle aime aussi.

XI

Je déteste le lundi. Rien de surprenant à ça, tout le monde en est là. Les profs aussi détestent autant que nous ; on est furieux parce qu'on les retrouve, ils sont fous de rage de nous revoir, finalement je me demande ce qu'on fait ensemble. Un jour, j'ai vu Dumazier. A l'ordinaire, c'est un mec vaguement macabre, il fait un peu dictateur sud-américain atteint de tuberculose osseuse. Quatre cheveux gras collés sur le crâne et des lunettes de nazi. En classe, la première fois qu'elles le voient, il y a des filles qui sanglotent tellement elles ont les choquottes. Un an avec un pareil mannequin, ça ne semble pas possible à tirer, on a l'impression qu'on sera fusillé avant. Donc, c'est le contraire d'un rigolo et ce type a dû sourire trois fois dans sa vie : une fois quand sa mère est morte, la deuxième à la déclaration de guerre en 1940 et la troisième quand il a desserré les doigts du cou de sa femme.

Or, ce triste bonhomme toujours lugubre, je le vois un jour qui déboule en salle des profs où j'avais une punition à faire signer, et le voilà qui saute en l'air comme une ballerine, qui se met à chanter la tyrolienne et qui s'exclame : « Pas d'école demain, c'est deuil national » (c'était pour Pompidou). J'en suis resté comme deux ronds de flan : Dumazier qui faisait son Médrano ! Eh bien, cet homme, le quatrième moyen de le faire rire, c'était de ne pas le faire venir en classe. Ce qui prouve bien qu'être prof, c'est pas un métier d'adulte, et être élève, c'est pas une bonne chose pour les enfants. La seule différence, c'est que tous les adultes ne sont pas profs mais que pour nous il n'y a pas de problèmes : on y passe tous.

Je n'arrête pas de penser à la journée d'hier. Plus je la vois et plus je l'aime. Bingo.

Donc, j'avais mis un peu de fric à gauche et je lui dis : « On va s'offrir une peloche. » Je lui avais promis et quand je promets j'aime bien tenir, c'est une question d'honneur, ne revenons pas là-dessus. Nous voilà sur les Champs-Elysées, elle absolument sidérante avec des jeans moulants et son bonnet à ski avec les boucles qui dépassent, et moi avec mon blouson élargissant, mon ceinturon et mon pull col roulé pour montrer que, quand même, j'ai de quoi me changer. Et on déambule en père et mère peinards sur les Champs jusqu'à ce que je tombe sur le film ad hoc, un espionnage super avec Robert Redford.

Depuis le temps que je lui en parlais, de ce mec, je voulais quand même lui montrer, pour qu'elle s'extasie ; et, dans un sens, ça m'embêtait un peu qu'elle le voie parce qu'inévitablement elle allait faire la comparaison et, comme j'ai déjà eu l'occasion de le dire, je suis pas pourri comme tronche, mais, quand même, je suis pas si régulier de traits et, pour ce qui est de la carrure, il est nettement plus développé que moi, même lorsque j'ai mon blouson. Mais enfin, bon, j'avais promis et elle n'allait tout de même pas partir à Hollywood après avoir vu le film, pour aller faire du gringue à Big Robert. Il ne faut pas voir des rivaux partout mais, d'un autre côté, faut être toujours un peu sur ses gardes. Et puis une Américaine qui connaît pas Redford, ça me dépasse. Elle préfère Racine. Un monde ! On arrive donc au ciné et là, une queue terrible. On attend, on grelotte parce que c'était vraiment le froid de canard, et on avance millimètre par millimètre, avec un type derrière moi qui me poussait avec son bide, comme si lui c'était la raquette et moi la balle de tennis. Après des milliards d'heures, c'est à nous et j'allonge mes deux sacs à la caissière sous verre. C'était chouette comme entrée de ciné d'ailleurs, pas du tout comme chez le père à Londet, ça sentait la cigarette américaine et le parfum super pour aller dans les fourrures, tout vitré, tout moderne, avec des photos de Redford qui brandissait des colts de quinze kilos avec Faye Dunaway absolument terrorisée ; bref, c'est l'instant que j'aime, le moment où on entre et où l'on va se payer la terrible tranche de pellicule, le paradis pour quatre-vingt-dix minutes. C'est là que ça a commencé à foirer. La caissière remue ses paupières comme des voiles et le dialogue sympathique s'engage :

« Vous avez votre carte ?

— Quelle carte ? »

Elle remue sa tête et envoie de la poudre partout.

« Carte d'identité, bien sûr ! »

Là, j'en reste comme deux ronds de flan. C'est la première fois qu'on me demande ma carte d'identité pour aller au ciné. Même pour voir un film d'espionnage.

A ce moment, Lauren me pousse du coude et me montre la petite pancarte *Interdit aux moins de treize ans*.

Ah ! les salauds ! Ils veulent m'empêcher de voir Robert Redford ! Et tout ça parce que mâme Dunaway doit montrer ses fesses trois dixièmes de seconde ! J'avais perdu l'habitude, moi, de ce genre d'histoire ; au cinoche à Londet, les moins de six mois passent les mains dans les poches, même pour les superpornos, alors c'est pour dire...

Ce qui m'a mis le plus en colère, c'est le type à côté de la caissière. Dans les cinémas des quartiers chics, il y a toujours un type à côté qui a le travail absolument éreintant de déchirer le ticket tout neuf qu'on vient juste de vous donner, ce qui est complètement idiot entre nous, parce qu'on vous donne un billet, on lui refile à lui et crac, en deux. Enfin, moi, ça me semble illogique, mais là n'est pas le problème. Donc ce déchireur nous regarde, Lauren et moi, nous toise et vient au secours de sa copine derrière la vitre.

« Interdit aux moins de treize ans. Circulez.

— On a treize ans », dis-je.

Le déchireur ricane. Le pire, c'est que, derrière, ça s'agite drôlement, deux mille personnes qui trépignent. Il a des admirateurs, le père Redford.

« Interdit aux moins de treize ans. Circulez. »

Il répète ça encore une fois comme s'il avait bouffé son magnétophone tandis que l'autre avec son bide derrière me colle contre la caisse. Lauren intervient, absolument géniale.

« On est nés le 15 novembre 1961, dit-elle, on est jumeaux. »

Ils ont tiqué un peu parce qu'elle a une assurance terrible quand elle veut, mais la vieille peau poudrée s'est reprise.

« Revenez avec vos cartes ou avec vos parents.

— Il n'y aura plus de places quand on viendra.

— Interdit aux moins de treize ans », dit le type pour la quatrième fois.

A ce moment-là, j'ai compris que c'était râpé et que même le ciné nous était défendu. J'aurais donné vingt ans de ma vie pour un bâton de dynamite. Pas pouvoir entrer dans un cinoche où on passe un film de Redford, ça m'a rendu fou. Et, juste comme j'allais exploser, le mannequin qui remet ça :

« Interdit aux moins de treize ans. Circulez. »

Ça m'a calmé d'un coup. J'ai dit :

« C'est à partir de quel âge que c'est interdit ? »

Le type s'est mis à sauter sur place comme s'il avait des clous dans ses chaussures, il trouvait plus sa respiration. Derrière, il y avait plein de types frappés d'infarctus qui agonisaient sur le trottoir.

« Tu comprends pas ce qu'on te répète, a dit Lauren : on peut pas entrer parce qu'on n'a pas treize ans.

— On a plus !

— C'est justement pour ça ! »

Je me suis retourné vers Gros Bide.

« Quel âge vous avez, vous, monsieur ? »

La caissière est devenue verte d'un coup dans son aquarium.

« Filez ou j'appelle la police ! »

Le scandale.

Le déchireur rebondissait sans arrêt comme au trempolino. Il doit y être toujours. J'ai dit :

« Bon, eh bien, on va s'en aller, mais ça nous a fait plaisir de bavarder un peu.

— Au revoir, madame », a conclu Lauren.

Bingo !

On est partis, dignes : ceux qui n'étaient pas morts de rage ont tenté de nous étrangler, mais on a réussi à fuir. Je déteste les Champs-Elysées et, Lauren et moi, on a discuté politique après et on est bien tombés d'accord : c'est vraiment un coin plein de bourgeois débiles, et surtout ils n'y connaissent absolument rien au point de vue cinéma.

Et c'est à ce moment-là qu'il a commencé à tomber des cordes.

On a eu le même réflexe : il y avait un café juste au coin du boulevard, on s'est engouffrés. Finalement, c'est là-dedans qu'on a passé l'après-midi.

Quand on est ressortis, il ne pleuvait plus. Ça faisait plus d'une heure qu'on était restés devant nos diabolos et on était tout éblouis de retrouver le jour, parce qu'il y avait un soleil jaune qui tapait en plein dans des nuages violets, un arc-en-ciel s'enfonçait dans un coton épais juste au-dessus de l'Arc de Triomphe.

« On rentre par les quais ? »

On a rejoint les quais et c'était bien de se balader dans la fin de ce dimanche. C'est l'heure où ça commence à sentir la soupe : les cinés se vident, on fait encore un petit tour sur le boulevard en profitant de la mort du jour. Dans quelques instants, tous ces gens-là monteront leurs escaliers et les rues seront vides. La vie se sera repliée comme un parapluie. C'était bien qu'on soit là tous les deux ; nous vivions les mêmes heures, dans les mêmes lieux, et cela suffisait pour me rendre content.

Un truc auquel j'ai pensé souvent, c'est que, peut-être dans le passé, il y a eu une fille formidable, par exemple sous les Pharaons ou Louis XIII, et celle-là elle était vraiment faite pour moi ; ou alors dans l'an 15536 aurait vécu la compagne idéale, et, quand on y réfléchit bien, on peut se dire que si on commence les histoires d'amour à un âge moyen de dix ans et qu'on les termine en gros vers les cinquante, ça limite terriblement, parce qu'on ne connaîtra jamais que les femmes qui vivront durant ces quarante années, et c'est foutu pour toutes les autres. En plus, pour moi qui suis de La Garenne, eh bien, je peux me dire qu'en Amérique ou dans les Indes ou même à Courbevoie il y a la fille qui est exactement ce qu'il me faut et qu'on ne se rencontrera jamais parce qu'on n'est pas du même endroit ; et avant Lauren, lorsque je réfléchissais à toutes ces choses, cela me rendait triste, surtout les dimanches soir.

Terminé maintenant puisqu'elle est là et que je l'ai trouvée. On a eu du pot d'ailleurs, parce qu'elle, vivant dans son Tucson et moi dans mon bled, normalement on n'aurait jamais dû se rencontrer, ce ne sont pas des pays de même catégorie. Et c'est pour ça que notre rencontre, c'est le miracle.

Tout ça grâce aux gargouillis de Françoise, d'ailleurs. Bénis soient les gargouillis.

Hier soir, c'est moi qui l'ai ramenée jusque chez elle. C'est costaud comme immeuble, on sent que ça va pas s'écrouler dans les jours qui viennent.

Comme j'avais le temps avant mon train, j'ai rôdé un peu dans le quartier et, à chaque moment, je me disais : « Elle doit connaître cette rue, c'est là où elle doit venir chercher son lait, c'est là où elle doit faire ressemeler ses godasses », et je trouvais tout magnifique, tout auréolé comme on dit dans les églises.

L'amour, quoi.

XII

Merde et merde et merde et remerde, si j'ose m'exprimer ainsi.

Tout préparé, tout impeccable, avec les excuses, tout minutieusement réglé et vingt-quatre heures avant : crac, la tuile.

Je prenais le train de 14 heures 07, à 14 heures 20 j'étais dans les banlieues et il m'attendait à la gare comme l'autre fois, avec son sac de sport, son vieux jean sensass et, en longeant les palissades de la voie ferrée, on arrivait au stade.

Ces endroits sont extraordinaires : ils sont pleins de mâchefer et, dès qu'il pleut, les caniveaux sont moirés parce que le gaz-oil ressort. Poésie des faubourgs, j'adore.

Là j'assistais à l'entraînement. J'aime moins le football que le rugby, mais enfin, il faut bien s'y faire.

Je suis devenue sa supportrice.

Daniel est pas mal comme joueur, il fait un peu léger dans son petit short, mais il a un joli shoot du gauche. C'est pour cela qu'il devrait jouer à l'aile droite. Lui prétend être un avant-centre et on en a discuté longuement. En tout cas, je suis bien sur mon banc de tribunes : un peu froid aux oreilles mais je ne déteste pas, et puis quand il descend, balle au pied, à toute allure, avec onze malabars dont certains sont trois fois plus gros que lui qui lui tombent dessus, j'ai la température qui monte à quarante d'un seul coup.

La fois dernière où il a fait une cabriole parce qu'une brute l'avait poussé, j'ai cru que j'allais prendre feu.

Après le foot, on va se balader, parfois jusqu'aux berges de la Seine, du côté du pont de Bezons, là où c'est plein de ferrailleurs. Ce sont des coins à péniches, c'est comme des ports ; à Gennevilliers il y a des docks, des îles avec des cabanes à clochards, des petits jardins gris et des cités qui poussent autour des grues. Il y a déjà presque un air plus large, comme à la mer, et parfois des mouettes viennent jusqu'ici, elles passent sous le pont, rasant la Seine... Et tout cela à vingt minutes de chez moi. Kay ne sait même pas que ça existe.

Donc, normalement, je devais débarquer à La Garenne, et hier Kay me fait sa bouche sucrée :

« N'oublie pas que demain nous passons l'après-midi au Pen Club. »

J'avais oublié le Pen Club.

Le Pen Club se situe dans des salons superbement rétro vers l'Etoile. Il y a là un monde fou avec des académiciens, des vieilles dames en mauve avec des voilettes et des jambes en cerceau, et évidemment des Américaines milliardaires. C'est une vente de livres où des chauves baisent les mains fissurées des dernières comtesses. En un mot, le Pen Club, c'est le contraire de La Garenne, c'est-à-dire de la vie.

Et la manie de maman, c'est de me traîner tous les ans au Pen Club parce qu'elle a un vague ami de Boston, un gros mec en gris et à chaîne de montre, qui dédicace le même livre depuis trente ans, un bouquin du genre : « Jadis autrefois, du temps du *Mayflower* », c'est-à-dire avant que des nègres complètement drogués s'attaquent à la Constitution américaine.

« Tu es prête ? »

Sa voix, pour me parvenir, traverse les murs de sa chambre. Son rêve est d'avoir un boudoir de cent mètres carrés comme Jackie Kennedy.

« J'arrive ! »

Elle surgit. J'étais sûre qu'elle mettrait sa fourrure.

« Lauren, tu es de plus en plus vulgaire. Tu t'exprimes comme une vendeuse de Prisunic ! »

Ce genre de réflexion a une conséquence immédiate : mon sens politique s'éveille et se déploie d'un coup.

« Les vendeuses de Prisunic sont en général d'un milieu social où le vocabulaire se trouve restreint, il me semble anormal que tu reproches leur façon de s'exprimer à des filles qui bossent quarante-six heures par semaine. » Kay a un haut-le-corps qui fait miroiter son rat d'Amérique (2 700 dollars chez Levin's Son).

« Des filles qui quoi ?

— Qui bossent. C'est un terme dont tu ne connais pas le sens. »

Elle frémit encore de tout son être. Seigneur, si elle savait que j'ai rendez-vous (on dit « rencart ») avec un beau mâle footballeur et qu'on se fait plein de bisous derrière les vestiaires dès que le match est fini !

J'ai pu quand même prévenir Daniel que je ne pouvais pas venir en téléphonant à un dénommé Londet, un de ses amis (on dit « potes »). J'espère qu'il lui aura transmis le message.

Et me voilà au Pen Club.

C'est bien comme les autres années : les mêmes plantes en pots, les hôtesses avec les petits plateaux qui passent les orangeades. J'ai bonne mine avec ma jupe plissée et mes socquettes. La vraie petite Texane buveuse de Coca-Cola, et Kay qui nage dans l'huile, évidemment. Incroyable monde ! Depuis mes escapades vers les banlieues, j'avais oublié que cela puisse exister.

« Madame de Régnancourt !

— Madame King ! Quelle joie ! »

Ça y est. La rencontre inespérée. Mme de Régnancourt a quatre-vingt-dix ans, deux kilos de poudre sur chaque joue et trois cheveux comme Cadet Rousselle, mais bleutés et frisottés artistiquement. Le coiffeur qui lui arrange ça doit s'amuser comme un fou. Quant à la fourrure, ça m'a l'air du skons.

« Mais c'est notre petite Lauren ! »

Eh oui, c'est bien elle, une délicieuse enfant, entre parenthèses.

Révérence.

« Tout cela ne nous rajeunit pas... La voici lycéenne à présent. »

Merveilleuse Kay, elle voudrait qu'avec son cerveau

je sois encore au jardin d'enfants. De Régnancourt susurre :

« Est-elle bonne élève ? »

Je ne peux plus. C'est trop pour moi. Mort à la bourgeoisie décadente.

« Excusez-moi, dis-je, je vais jeter un œil sur les livres. »

Une bouffée de parfum envahit les mille deux cents mètres cubes de la salle : la mémé vient de remuer un cil.

« Vous vous intéressez à la littérature, mon enfant ? »

« Mon enfant ! » Elle a dû lire la comtesse de Ségur jusqu'à la dernière goutte.

« Un peu, dis-je, surtout le calcul différentiel et les séries noires. »

Je me sauve. J'ai quand même le droit de vivre ma vie, non ? Je vais me promener le long des stands. La tête de tous ces gens me désespère. A croire que ce ne sont pas eux qui écrivent leurs livres. Il y en a un derrière une pile qui ne va pas terminer la journée. Il va s'éteindre avant la fermeture. Quand je pense que je devrais batifoler dans les terrains vagues en ce moment avec mon homme...

Incroyable ce que je m'ennuie ; rien de pire que ces pièces en enfilade avec des glaces partout, ça me rappelle le foyer de la Comédie-Française où j'ai connu également, les mercredis après-midi, les heures les plus belles de ma vie de femme. L'entracte, après les deux premiers actes d'*Andromaque* ou d'*Athalie*, en sachant qu'il y en a encore deux autres qui attendent et que les vers merveilleux vont retentir sous les lustres...

Oui, je viens dans ton temple adorer l'Eternel...

Pendant deux ans, je n'ai pas loupé un classique.

« Loupé. »

Je prends des expressions banlieusardes en ce

moment, même involontairement. Ça la fout mal au Pen Club (on dit : cela ne convient pas au Pen Club).

« Je vous dédicace mon roman ? »

Demi-tour droite et tous les lustres explosent. Les académiciens s'envolent, les rombières décollent et tout retombe au même endroit, exactement à la même place qu'avant, mais avec un tout petit élément en plus : Daniel.

Vive la bannière étoilée !

J'ai éprouvé une fois un choc semblable il y a trois ans à un France-Irlande télévisé lorsque le ballon a heurté le poteau après un coup de pied tombé. La joie folle ; et là, c'est pire.

Il est splendide, tout neuf dans un vieux décor ; c'est La Garenne au Pen Club. On aura tout vu. J'aurai tout vu. Et à l'aise comme il n'est pas permis, tout frétillant au milieu des schnocks, une sardine fraîche dans une vieille boîte.

On file derrière les colonnes. Mon cœur bat tout de même. Délicieuse panique.

« Mais comment as-tu su ? »

Il sourit.

« Londet m'a dit, j'ai cherché sur le plan ; quand j'ai vu que c'était pas loin par l'autobus de Saint-Lazare, j'ai foncé, dès le match fini. Ça va ? »

La foule passe, languissante et précieuse, un rythme riche nous entoure.

« Ça va. Je suis contente de te voir. »

Il tâte son épi de cheveux du bout des doigts et jette un œil rapide.

« Y a du sacré linge dans ton truc. »

Je l'entraîne.

« Viens par là. »

Derrière, il y a des vieux fauteuils de velours, personne ou presque. On s'installe.

« Qu'est-ce que tu peux bien faire dans ce genre de coin, au lieu de te pointer au stade ? C'est sinistre !

— C'est maman, elle adore ça, alors j'ai dû suivre. »

Il soupire et balance ses pieds dans le vide.

Les yeux au plafond, il remarque :

« C'est quand même pas mal finalement quand on réfléchit ; c'est pas plus con que de vivre en H.L.M.

— C'est moins sobre.

— Ça doit être plus cher. »

Je n'en reviens pas encore de le voir ici.

« On se mariera, dis-je, et on aura un appartement comme ça. »

Il me jette un regard déshabilleur.

« T'es drôlement sexy, aujourd'hui. »

Evidemment, avec les socquettes et de l'écossais, ça doit pas soulever des montagnes d'érotisme, mais il l'a dit si gentiment que cela me fait rire.

« Si j'avais su que tu venais, j'aurais mis mon vison.

— Au fait, dit-il, pour mercredi prochain, il y a un Lee Marvin, on passera en douce avec Londet. Tu peux venir ?

— Je me débrouillerai. Le Pen Club sera fini. »

Je suis heureuse tandis qu'il me regarde. Tout là-bas, au bout du monde, des ombres passent devant des glaces, sous des lustres à pendeloques. On tousse beaucoup du côté de l'Académie française. Une poétesse à fanons et à quadruple rang de perles dédicace ses plaquettes en tenant son stylo comme un bâton de rouge à lèvres. Le murmure des foules parfumées nous entoure.

Daniel s'enfonce dans son fauteuil et regarde le spectacle comme il doit le faire au cinéma.

« C'est dingue, murmure-t-il ; grâce à toi, j'aurai même connu le grand monde.

— C'est vrai, tu as une vraie chance de m'avoir rencontrée ; sans moi tu serais resté une pauvre cloche de banlieue. »

Il est tellement occupé à reluquer les vieilles ruines qu'il ne répond même pas. Il suit une idée indécise encore et qui prend forme. Il parle.

« C'est drôle, tous ces mecs qui signent leurs bouquins, ils ont l'air de se prendre pour des caïds, je suis sûr que c'est pas si dif' que ça, de faire un livre.

— Une plaisanterie, dis-je. On en fait un ? »

Pas surpris pour un dollar.

« D'accord, dit-il, on se fabrique le Goncourt de l'an prochain. Tu as du papier ?

— Une petite minute. Il faut tout de même choisir une histoire. »

Il croise les mains sur son ventre comme s'il avait soixante-dix ans et quarante bouquins derrière lui.

« T'inquiète pas, dit-il, on va leur raconter une histoire d'amour. »

Et c'est ainsi qu'au Pen Club, dans un salon écarté d'un vieil immeuble de l'avenue de Friedland, naquit l'idée d'écrire cette œuvre qui allait bouleverser la littérature de la dernière partie du XXe siècle.

Il fronce les sourcils et ressemble à un éditeur.

« T'as un titre ? Faut quelque chose qui accroche, un truc tout public, tu lis ça sur la couvrante et tu sais que c'est le best-seller. »

J'ai sorti mon stylo, j'ai tracé quelques mots sur un vieux ticket de métro qui traînait dans ma poche et je le lui ai tendu.

« Qu'est-ce que tu en penses ? »

Il lit, ferme un œil pour juger comme un tireur au pistolet et son visage s'éclaire.

« Formidable, dit-il, on va tirer à deux millions d'exemplaires. »

Ainsi naquit *Dany et Laury*.

XIII

Je vrille sur le coccyx et le mâchefer se tasse sous mes fesses. Sur la gauche, les berges disparaissent dans les brouillards.

Nous commençons notre livre.

Elle soupire. Ses oreilles sont rouge brique.

« A toi d'écrire, je sens plus mes doigts. »

La Noël dans huit jours, et on est là, le cul dans les cailloux, avec le quai qui file au ras de l'horizon, bourré de chardons jusqu'à la mer.

Il doit faire moins quinze.

Elle éternue et enfonce son nez entre ses genoux remontés.

« On est bien, dit-elle, et puis on fait un chef-d'œuvre, ça réchauffe l'intérieur.

— Regarde, dis-je, ça gèle sur les bords. »

A deux mètres sous nos semelles, l'eau ne bouge plus et se scelle à la pierre par plein de rides transparentes et aiguës.

Mes doigts se paralysent. Les nuages font un toit de coton sale et les couleurs ont disparu pour toujours ; le bleu du jean de Lauren a pris la couleur d'une vieille planche pourrie. Vive la Californie.

« *Laury et Dany*, dit-elle, ça doit jeter un jus terrible. Qui tu vois dans les rôles ?

— Ne rêve pas, dis-je, les droits ne sont pas encore vendus au cinéma. »

Elle réfléchit en crachant du brouillard par les naseaux.

« Faut une grande scène quand ils se rencontrent, ça doit exploser, faut qu'on sente l'ardente passion. »

Je crache dans l'eau du coin droit de la bouche.

« Je savais pas qu'on faisait un bouquin de cul, dis-je. Pour moi, c'était du tout public. »

Elle me fixe, indignée.

« Ça n'empêche pas, dit-elle ; le tout public, il aime bien aussi quand ça pulse. »

Ça, ça me rend soupçonneux.

« Qu'est-ce que ça veut dire, "quand ça pulse " ? »

Elle se tortille et souffle dans ses doigts.

« Tu m'énerves, dit-elle, sers-toi de ton cerveau. Ils vont pas rester à s'admirer le blanc de l'œil, Laury et Dany.

— Dany et Laury.

— Comme on les a décrits, c'est pas possible que ce

soit pas charnel, c'est comme si on faisait un bouquin sur Hitler et qu'il déclare pas la deuxième guerre mondiale.

— Ça, c'est vrai, dis-je, on s'attend à ce qu'ils fassent des trucs. On s'en fume une petite ? »

Elle tousse dans la fumée. Quand elle met la cigarette dans sa bouche, elle la met au milieu, comme un sucre d'orge. C'est une chose que je lui reproche, elle a pas du tout le style de Marlène Dietrich quand elle fume. Avant moi, elle n'avait jamais fumé. Je la pervertis sans qu'elle s'en aperçoive.

C'est bien de mettre les mains autour des petites cendres rouges, on aspire et ça réchauffe un peu, comme si on était dans le Grand Nord, à côté des traîneaux de chiens.

« Tu veux courir ? »

Elle secoue la tête.

« Non. »

Sa joue est glacée, ses lèvres sèches, mais c'est drôlement agréable. C'est un peu gercé sur le dessus, mais après, c'est la vraie framboise et ça fait tout chaud. C'est une fille à la bouche tendre. L'emmerdant, l'hiver, ce sont tous ces habits superposés ; je lui déboutonnerais bien son manteau, mais elle va mourir de froid ; j'en ai envie pourtant, oh ! malheur, que j'en ai envie, et je sens qu'elle a tant envie de se laisser faire, de plus en plus terriblement envie. Les paumes de ses mains coulent dans mes cheveux. C'est l'amour, les mecs, avec le cœur, le sexe, et tout, oui, peut-être que si c'était pas l'hiver on ferait l'amour, comme les grands. Je pourrais, je pense, et sans honte je crois, elle non plus, en bordure de Seine, nus comme des fous. Ça pulserait, c'est sûr, jusqu'aux nuages et au-delà.

Elle respire vite comme si elle avait couru mais en plus profond, comme une femme vraie, et elle se cramponne, un peu noyée. C'est la belle galoche, le vrai baiser des voyous.

« Mon train ! »

On court déjà à toute allure sur le sol gelé. Les pare-brise sont givrés. On n'a même pas fini le premier chapitre.

XIV

C'est extrêmement délicat. Très très très délicat.

Et puis, il faut bien dire qu'on a un âge où l'on hésite entre la panoplie d'Indien et l'attaché-case.

De toute manière, il n'a le genre ni de l'un ni de l'autre.

C'est la période dont tous les gens disent qu'elle est détestable, et puis, finalement, ils mentent parce que tout le monde aime bien. Moi, je l'avoue, la foule aux grands magasins, le froid dans les rues, les guirlandes, les pères Noël en coton, j'ai toujours aimé, à New Jersey, à Tucson, à Paris, j'aime ça.

Mais cette année c'est différent. Tout est différent cette année.

Qu'est-ce que je vais lui offrir ? *That is the question. The big question.*

Quinze jours que je me torture, et moi la grosse tête, le cerveau à rallonge, je n'ai pas eu un quart d'idée.

Une aquarelle, a proposé Nathalie, un paysage avec deux êtres, main dans la main, et une bordure de cœurs entrelacés.

Il faut l'entendre prononcer « deux êtres ». Ça dure trois minutes à chaque fois, elle met des accents circonflexes de quinze kilos chaque.

Je l'ai remerciée de cette intéressante suggestion et j'ai passé deux après-midi à lécher les vitrines comme une forcenée. Il ne faut pas quelque chose qui fasse trop matrimonial, que ce soit quand même la chose intime qu'on garde toute sa vie et qui soit pas trop

mémère collante. Un peu de sensualité quand même :
le genre foulard à même la peau, mais un foulard,
c'est vraiment banal, le comble du banal.

Je suis entrée dans un magasin spécialisé dans les
cadeaux. Soi-disant, quand vous ne savez pas quoi
choisir, vous pénétrez là-dedans, et vos problèmes
sont réglés ; si vous croyez leur publicité, ce sont des
gens absolument géniaux qui pensent pour vous et
répandront le bonheur à des milliards de kilomètres à
la ronde.

Pas question de boutons de manchettes : il n'a pas
de manchettes. Pas question de cravate, il n'a pas de
chemises. Pas question de chemise, il n'en met pas,
pas question de tee-shirt, il en a de pleins tiroirs et je
ne vais pas lui offrir des slips taille basse, ma pudeur
se rebelle.

Le roman marche. Dimanche, on l'a quand même
pas mal avancé, et je ne me lasse pas de le relire.
Surtout le moment où elle parle de son enfance,
qu'elle évoque sa première passion pour un étudiant
en mathématiques, comment ils se sont connus à
Harvard et comment elle lui faisait ses problèmes
pour qu'il ait de bonnes notes, et finalement comment, un soir, elle s'était fait violer par un Mexicain
basané qui récoltait le maïs dans une plantation
voisine. Et depuis elle n'avait jamais été la même, se
refusant à tous les hommes malgré les beaux spéci-
mens qui se présentaient.

Lui a aimé une actrice de cinéma très célèbre qui
abandonnait ses films en plein tournage pour lui
courir après dans des maillots de bain pailletés. C'est
dire qu'ils ont pas mal vécu l'un et l'autre quand ils se
rencontrent. J'étais en train de mettre des virgules
quand papa est entré.

« Qu'est-ce que tu fais de beau ? »

Je le vois de moins en moins, mais c'est de pire en
pire. Dès qu'il me regarde, j'ai l'impression que je
viens de voler de l'uranium enrichi dans une centrale

thermonucléaire et que je vais émettre des rayons mortels dans tous les sens.

« Un roman. »

Le voilà encore qui paraît fou d'inquiétude. Comme si, à mon âge, ce n'était pas normal que l'on fasse marcher ses cellules grises. Je me demande si tous les P.D.G. d'I.T.T. sont comme ça.

« Et... quel est le sujet ? »

Je résume :

« Une histoire d'amour. On va essayer de vendre les droits à la Goldwyn Mayer parce qu'ils ont Redford sous contrat, et on aimerait l'avoir pour le rôle. »

C'est évidemment Daniel qui m'a donné l'information. Ça a l'air de toucher beaucoup mon père qui s'assoit, les jambes molles. On ne peut pas discuter dix secondes sans qu'il ait un malaise. Comme exemple de virilité, il me frustre complètement.

« Très bien, très bien, très bien. »

Il a une voix sourde dans ces moments-là, on la reconnaît à peine.

Une idée m'est venue. J'ai demandé :

« Quand tu étais plus jeune..., que tu avais dix, onze ans..., qu'est-ce que tu aurais aimé qu'on t'offre, à la Noël ? »

Il s'est mis à réfléchir avec application. C'est vrai qu'il avait pas mal de chemin à faire pour se revoir enfant. Ce n'est pas qu'il soit vieux, mais il est tellement sérieux que je me demande comment il n'est pas encore mort. On dit que les filles sont attirées vers leur père, qu'elles voudraient se marier avec plus tard, etc. Eh bien, moi, je peux affirmer que, même lorsque j'avais quatre ans, il aurait fallu me coller un revolver dans les reins pour que je dise oui au pasteur. C'est un homme que j'estime, je le trouve parfois assez sympathique et prévenant, mais ce n'est pas la folle passion, alors là, pas du tout. Il m'ennuie comme ce n'est pas permis. Quand il arrive, c'est automatique, même si vous êtes des amis, s'il y a de l'ambiance, eh bien, au bout de trois minutes, tout le monde bâille. Ça se dégage de son air sérieux. C'est comme un parfum qui flotte.

C'est un homme comme ça : dès qu'il paraît, les fleurs se fanent. Il a passé trop d'examens dans sa vie.

« Un jeu instructif », dit-il.

Et voilà. Je l'avais bien dit. Il a cherché dix minutes pour finir par sortir ça. Un jeu instructif ! Enfin, passons... Je me vois d'ici arriver avec ma boîte à l'emballage super-cadeau, cerclée de rubans de couleur. Je la donne à Daniel, il ouvre, il regarde et qu'est-ce qu'il voit ? « Le petit chimiste d'appartement » ou « La géographie comme à l'école » ou « Le calcul pour rire » ou « Devenez savant en divertissant vos amis » ou n'importe quoi de semblable. Une cause de divorce. Je me demande si son amour résisterait.

C'est peut-être pour avoir joué avec des choses pareilles que mon papa est si effrayé aujourd'hui, toujours courant, toujours traqué. Il a peut-être eu peur toute son enfance que ses éprouvettes explosent toutes seules ou que l'acide mange les rideaux.

Je tente un effort désespéré.

« Tu n'aurais pas préféré autre chose ? Quelque chose de moins... de plus... enfin de plus drôle, je ne sais pas, moi ? »

Il me considère furtivement et se met à fumer comme une Ford modèle T. Il bouge ses pieds frénétiquement, se pince le pli du pantalon entre le pouce et l'index, et donne le spectacle de la débâcle totale. Papa, c'est la Bérésina continuelle.

« Non, jamais. »

Toujours prolixe. Il hésite, bat des paupières et demande :

« Et toi, tous les cadeaux que tu as reçus..., ils t'ont toujours fait plaisir ? »

Belle question. Elle me rappelle mon dernier anniversaire où ma tata Simpson (Heddy Doddswell Simpson, des nitrates Simpson, un compte bloqué en Suisse, deux villas à Pasadena, des lingots dans le coffre de son appartement de Greenwich Village) m'a offert *Valentine et Zigomar en croisière*. Un bel album illustré plein d'intérêt qui m'a fait sauter d'enthousiasme, comme on peut le penser. Je l'ai revendu pour m'offrir *Les Prolégomènes à une critique de la raison pure*. J'adore Kant.

J'ai vaguement noyé le poisson et papa est parti, ravi d'avoir eu ce qu'il appelle « une véritable conversation avec sa fille ». Je ne sais pas ce qui leur a pris de s'épouser, ces deux-là. Kay toujours pressée et lui toujours affolé... Le vrai couple *made in U.S.A.*, aussi symbolique que le pont de Brooklyn. Ils ont dû avoir du mal à se rencontrer. Enfin, c'est le résultat qui compte et le résultat, c'est moi.

Et toujours pas d'idée de cadeau.

Pourtant je l'aime. Nul doute à cela. D'ailleurs, je ne pense qu'à lui...

De mon cœur, beau seigneur, vous hantez la demeure.

Partout, même à l'école. Ce qui fait que je travaille mieux. Parce que c'est une énorme bêtise de dire : « Elle pense à autre chose, alors elle ne fait plus rien... » Moi, c'est l'inverse : comme je n'écoute pas les trois quarts du temps, il faut que j'en mette un fameux rayon le quart suivant, alors, finalement, je suis plus forte qu'avant.

Daniel, Daniel, qu'est-ce que je vais t'offrir pour que tes yeux brillent, pour que tu m'embrasses, que tes lèvres chaudes et fraîches à la fois...

Excitée, la Lauren.

L'Alsace et la Lauren. Celui-là, je le replacerai.

Je lui achèterais l'univers pour m'y mettre dedans. Daniel, je t'offre des étoiles, une poignée de planètes ; garçon ! une galaxie, une ! ! !

Et si je lui tricotais des chaussettes ? Le monde et des chaussettes, cela ferait un joli cadeau, tout bien réfléchi. Des chaussettes et la Voie lactée.

« Lauren ! »

Je sursaute. C'est Kay. Pull de laine écrue, pantalon cuir huilé, bottes poilues. On dirait la femme du yéti.

« Comment me trouves-tu ? »

J'ai une inquiétude brutale qui me coupe l'arrivée d'air.

« Pourquoi es-tu habillée ainsi ? »

Kay plie les genoux, chevilles jointes, et descend, schuss, sur la vallée.

« Nous allons à Val pour les fêtes. Nous partirons après ta classe. »

Je me lève, livide.

« Jamais ! »

Kay arrête net son slalom.

« Mais qu'est-ce que tu as ? »

La glace en face reflète une fille dressée et neigeuse. Je sais que j'ai déjà perdu la partie, que je ne peux pas dire : « Maman chérie, j'aime un garçon, on devait se voir pendant les vacances, et Val-d'Isère, je m'en fous. » Non, ça, c'est possible à seize ans, pas à onze.

Je hais les sports d'hiver.

XV

Vingt heures vingt-six.

Même dans le métro, c'est bourré de skieurs.

Ils s'en foutent, ceux-là, de la révolution prolétarienne, ils vont faire des glissades pendant quinze jours. On descend ; quand on a fini de descendre, on monte et on redescend, et comme ça jusqu'à la fracture double. Tarés, les mecs.

Ils ont l'air futé avec leurs bonnets et leurs croquenots de cent vingt kilos pièce...

On va étouffer dans cette rame. Et eux avec leurs pull-overs jacquard. Ah ! oui, ils sont vraiment réussis !

J'ai pas à m'énerver, je descends dans trois stations, Saint-Paul, Bastille, Gare de Lyon.

Pourvu que sa mère ne me tombe pas dessus ! Je l'ai vue la première fois, dans le parc thermal, une grande sèche qui sort toujours de chez le coiffeur. Deux mètres de haut. Je me demande comment elle a pu mettre Lauren au monde. Pas un poil de ressemblance. *La Belle et la Bête.* Jean Cocteau 1946.

Je me sens excité de l'intérieur. C'est vraiment comme dans *Vacances à Venise*, sauf que je suis en avance, qu'elle part pas pour toujours, qu'elle s'appelle pas Katharine Hepburn et que j'ai onze ans, mais c'est le même thème de scénario, les amants séparés par le destin.

Saint-Paul. Encore une fournée de skieurs, avec en prime un malabar qui porte une luge au-dessus de sa tête. Il en rigole d'avance, ce crétin. Ça doit faire un an qu'il pense à la bûche qu'il va se ramasser au fond du ravin. Il a bien une tête à finir dans le plâtre.

Bastille. Alors là, c'est pire qu'au remonte-pente. Je n'y suis jamais allé, mais j'imagine. Même une colonie de vacances qui s'enfourne. Ils ont déjà mis les moufles et le passe-montagne.

Vérole.

J'ai les pieds qui ne touchent plus le sol. On va gicler à la gare de Lyon, comme des bouchons de champagne. Splash !

J'ai toujours eu horreur de la neige. Peut-être à cause des dictées et des récitations où il est toujours question d'un blanc manteau immaculé, de flocons à la con et de blancheur d'hermine. Ça me fait marrer parce que, si vous voulez savoir ce que c'est que la neige, faut venir à La Garenne quand il y en a : c'est de la purée répugnante, de la dégueulasserie noire et ça me met en boule parce que ça montre bien que la nature même est contre le prolétariat. Quand il neige à Chamonix, c'est tout beau et les gens se marrent ; quand il neige sur La Garenne, c'est tout moche et on patauge dans la bouillie.

Lauren est politiquement d'accord avec moi dans l'ensemble, bien que, parfois, elle ait des réactions de classe, style petit-bourgeois cul-cul un peu à gauche, à la façon de tous les mecs qui franchissent jamais les périphériques. Il va m'éborgner, cet abruti, avec ses bâtons ! Quelle chaleur là-dedans ! Faut que je fasse gaffe à mon paquet-cadeau. Ça ferait un peu con si j'arrivais avec ma boîte aplatie. Je suis en nage. En dehors ça pince. Quelle saloperie, ces vacances, quinze jours sans la voir. Et, pour arranger les choses, elle va foncer sur la piste, et crac, un minet bronzé qui lui rentre dedans, et c'est même pas la peine d'imaginer la suite : un lait-framboise au bar, on se revoit le lendemain, viens ici que je t'apprenne le chasse-neige virage et patati et patata, et qui c'est qui est cocu tout seul dans sa banlieue merdeuse ?

Vérole.

Gare de Lyon.

J'ai même pas à plier les genoux pour monter les escaliers ; on jaillit comme à Vincennes, un virage à la corde, un grand coup de spatule dans les omoplates et me voilà sous la verrière.

Ça grouille de monde. Jamais je ne la retrouverai là-dedans. Une fille dans la foule. Il y a eu une peloche qui s'appelait comme ça. Avec Linda Darnell. Ou Hedy Lamarr. Oh ! et puis merde.

Son train n'est pas difficile à trouver, c'est la voie 14. C'est marqué sur le grand panneau et, de toute façon, c'est celui où les skis sortent par les portières.

A force de serrer la boîte, la papier va être tout mou. Une aventure pour acheter cette bagouze. J'avais mes vingt francs d'économie et je me dis, tant qu'à faire, faut aller lui acheter ça dans un beau quartier, là où il y a le plus de choix. Je me balade dans une rue assez chouette et, coup de chance, c'était rempli de bijoutiers. Je m'arrête à une vitrine, je regarde et il y en avait quelques-unes pas mal. Pas le pied, mais enfin, pas mal. Malheureusement, il n'y avait pas les prix et là, je trouve qu'ils sont en tort parce que, théoriquement, ils devraient mettre des étiquettes. J'entre.

Ça m'a fait tout de suite une drôle d'impression : des types en noir, debout devant des petites vitrines, tous un peu vieux avec les cheveux bien peignés et des cols durs. Sinistre. Je me suis dit. « Toto, tu te goures, t'es entré chez les pompes funèbres. » Enfin, il y en a un qui s'approche, tout précieux, comme s'il sortait d'un écrin.

Il avait des souliers tellement vernis que ça me faisait mal aux yeux.

Il me demande laquelle. Je la lui montre, il pince les lèvres et il fait :

« Deux mille trois cents francs. »

J'ai pensé d'abord qu'à trois cents balles près je me l'emportais, mais j'ai eu l'instinct qui m'a averti.

« Anciens ou nouveaux ? »

Il a eu un sourire comme s'il avait avalé une pelote d'épingles.

« Nous parlons en nouveaux francs. »

Deux cent trente mille francs. Bingo. Complètement frapadingues, les mecs. Je suis sorti sonné et, avant de partir, j'ai entendu qu'il disait « ...interdire aux enfants... », enfin un bout de phrase dans ce genre-là. Du coup, j'ai regardé le nom de la rue pour m'en souvenir.

La rue de la Paix, je la conseille à personne.

Et le plus fort, c'est que, le lendemain, j'ai vu ma bague, la même, dans la corbeille au Monoprix de chez moi. Et à sept francs cinquante en plus ! C'est pas la même pierre, bien sûr, mais c'est tout de même exagéré comme différence. On peut dire que le client paie la présentation.

Quinze jours à glandouiller tout seul à me faire du souci. Avant, j'aimais la Noël, pas tellement pour les cadeaux, parce que je suis pas tellement société de consommation comme mec, mais j'aimais bien les réveillons, on se baladait un peu avec Londet, le cinoche, le foot, tout ça, quoi. Et cette année je vais me demander si une fille de l'Arizona ne va pas se payer un sapin en sortant de la piste.

Voilà ce que l'amour fait des hommes.

Des chariots sonnent, bourrés de bagages. Un train démarre sur l'autre quai et des bras se lèvent qui me masquent le pan de ciel quadrillé, là-bas, au bout de la voie. Ma boîte devient de plus en plus molle. C'est le premier truc que j'offre à une fille ; comme tous les premiers trucs, ça m'émeut. J'ai cherché un bout de temps et puis, finalement, j'ai choisi une bague parce que j'aime qu'elle aime les bijoux.

J'y suis à présent, cerné de valises ; les gens ont des visages de départ, comme si prendre un train oblige à changer de tête. Un jour, je serai un grand type élégant qui court acheter des cigarettes et des magazines et revient à son wagon-lit retrouver sa nana à fourrure, ce sera Lauren et je serai Cary Grant.

Je navigue entre les chariots. Sept minutes avant le départ. Compartiments bondés. Il faut que je la trouve au milieu de tout ce cirque.

« Excusez-moi... »

Je me faufile. Des contrôleurs perdus dans des paperasses. Cinq minutes maintenant. Je ne comprends pas ce que dit le haut-parleur.

Ils ont dû prendre une première avec tout le fric qu'ils ont. Et les premières, c'est vers la loco. Bond sportif au-dessus de bagages, je sprinte le long du wagon et vlan ! dans la grande au pull orange qui descend au même instant. Je reprends ma course et freine net.

Je connais cette tête.

Ces bottes poilues, cette permanente permanente, cet orange épouvantable, une seule personne au monde est capable de porter ça : c'est belle-maman.

Demi-tour.

Lauren est par là, je le sens, j'ai le cœur à huit cents tours-minute, le cœur comme une girouette. Oui, c'est bien sa mère. Et ce type un peu inquiet à qui elle a l'air de commander tout un tas de trucs à faire, c'est beau-papa. Tout en gris, le vrai incorruptible, il ressemble à tout le F.B.I. à lui tout seul.

Le marchepied. Je suis dans le couloir, plein de gens penchés aux portières, leurs fesses tendues me bouchent le passage. Premier compartiment : des yeux se tournent, des rires. Pas de Lauren. Deuxième compartiment : des enfants, *France-Soir* déployé, pas de Lauren. Troisième compartiment : des visages, bébé braillard, pas de Lauren. Quatrième, pas de Lauren, cinquième, pas de Lauren. Passage bloqué, je passe dans le trou. Sixième compartiment, pas de Lauren. Vérole de vérole. Septième : un curé ; il sera noir sur la neige, pas de Lauren. Fin de wagon.

C'est pas possible, c'est pas vrai, je ne vais pas la manquer, pas maintenant, il faut refaire le trajet en sens inverse, je...

« Les voyageurs pour... » Le haut-parleur. L'horloge en face, énorme : moins d'une minute ; je vais repartir tout seul avec ma bague comme un con. Des gens remontent, je vais être coincé, pas d'arrêt avant Dijon, une jolie trotte pour retourner. Je vais pas pleurer quand même. Lui donner au retour, c'est pas pareil, c'est moins cinéma.

Je veux la revoir, merde, cinquante ans de ma vie pour dix secondes, ça vaut le coup quand même... Je lui donne la bague et...

« Lauren ! »

Je n'entends pas ce qu'elle dit derrière la vitre, elle n'arrive pas à atteindre la poignée.

« La portière à côté ! »

Elle disparaît, resurgit. Je ne peux pas m'approcher avec ce grand con devant, et ça va démarrer. Ça y est. Elle a la boîte.

« C'est pour toi, c'est pour la Noël. »

Elle n'arrive pas à défaire le nœud.

« Les voyageurs pour... »

« T'énerve pas, dis-je, c'est une bague. »

Elle rit et ça fait drôle avec ses larmes.

« Je t'ai tricoté une écharpe, dit-elle, trente mètres de long. »

Ça me fait une boule dans le cou et je n'avale plus.

Ça y est, elle s'éloigne. Le quai part en arrière tout doucement et je défile, immobile devant les wagons, tandis que ses lèvres s'écrasent, collées à la vitre qui remonte, des lèvres qui font un rond comme un zéro au feutre rouge sur le cahier d'un écolier.

XVI

Il sourit et lève son verre vers moi.

« A la tienne. »

J'avale une gorgée du mien.

XWGRMLTZKBCC ! ! !

Comme on dit dans les bandes dessinées.

Je n'aurais jamais cru que ce soit à ce point imbuvable. Une décharge de T.N.T. en plein sur la langue.

Daniel boit, triple de volume, devient rouge, bleu, jaune, et reprend sa couleur naturelle.

« Fameux », dit-il d'une voix flûtée.

C'est la bouteille que papa garde pour les grandes occasions, et comme je ne pouvais évidemment pas offrir quelque chose d'autre à Humphrey que du scotch, je lui en ai versé un verre, et à moi aussi, car je ne veux pas avoir l'air de ne pas être habituée à ce genre de sport. Mais cela chauffe dans l'estomac. Soleil derrière les baies vitrées, beau temps en l'honneur du 1er mars.

Ça me fait drôle de le voir chez moi. Quand il est entré dans le living, il a sifflé et dit : « Bingo ! »

J'ai compris qu'il aimait.

Evidemment, c'est une belle pièce. Et puis les tableaux, les lampes chinoises, les meubles, le lustre, ça jette du jus, c'est sûr.

Et depuis une heure on fume, on boit et on travaille. Stuyvesant, Chivas et littérature.

C'est épatant : Kay au salon de thé pour l'après-midi, papa au bureau, les bonnes en congé. Seuls sur l'île déserte. Daniel et moi.

Après les gros galous d'usage, on s'est roulés un peu sur le divan, mais à présent : boulot-boulot.

Il se renverse et regarde autour de lui. On sent qu'il n'est pas encore habitué.

« A quoi tu penses ? »

Soupir. Songeur, il remarque :

« C'est un peu plus petit qu'un terrain de football, mais c'est presque dans les limites. »

Ses yeux reviennent sur moi.

« On est bien ici... »

Je suis heureuse que cela lui plaise. Un rien me rend joyeuse depuis quelques instants.

« On met un disque ?

— Un truc américain, dit-il ; Dean Martin, Sinatra ou Nat King Cole. Tu as ça ? »

Je colle Sinatra sur la platine et tout se remplit de sirop. J'ai du mal à finir ma Stuyvesant, mais un petit coup de whisky ne sera pas de refus. Ça brûle mais ce n'est pas mauvais.

« On danse ? »

Je n'attendais que ça. Un *blues* surtout. Pas un gramme de fatigue et du sentiment partout.

Je ferme les yeux. A quoi peut-il penser ? Si j'avais su, j'aurais mis mon ensemble violine. Il danse bien. Ses cheveux sentent la savonnette.

La vie en ce séjour me paraît merveilleuse.

On peut dire que la vie commence à onze ans. Oui, ma vie a commencé en juillet dernier, quand j'ai rencontré Daniel. Et, depuis, ça continue. Il y a des hauts et des bas, mais surtout des hauts, et aujourd'hui c'est le haut du haut.

Le soleil, ma maison et on danse. Nous n'avions

jamais dansé. Tout tourne avec nous, c'est un lent manège calme et doux, et Sinatra tout au bout du monde qui se défonce et ruisselle. Confiture partout et moi barbouillée, accrochée à Bogart qui tangue... Alléluia ! *Kiss me, sweet heart*.

J'ai rêvé jadis de valser sous des lustres au bras d'un cadet de West Point. Pauvre tarée ! J'ignorais la vraie vie, la vraie danse. Avec Dany Daniel, le king des banlieues. Mon homme, quoi, *my man*. J'ai de plus en plus soif.

« Moi, dis-je, je trouve que c'est injuste que tu doives partir. Pourquoi tu vivrais pas ici, avec moi ? On est des surdoués, oui ou merde ? »

J'ai dû dire une grossièreté. Tant pis.

Ma véhémence m'a surprise moi-même. C'est comme si, sur la fin des phrases, ma voix m'échappait.

Daniel fronce les sourcils et son poing s'abat sur le cercle du piano.

« Oui ! » rugit-il.

Je me mets à pleurer d'un coup, et de me sentir pleurer me donne envie de rire.

« Eh bien, dis je, l'affreux, c'est que je peux extraire des racines cubiques, mais, en tant que femme, je suis pas reconnue ! »

Il y a un tintement, comme un hoquet, et Daniel dit :

« Bois. »

Je bois, car toute femme obéreuse est amouissante, amoureuse est obéissante, et, sans bouger les pieds, Daniel file à toute allure jusqu'à l'autre bout du living et revient pareillement.

« Comment tu arrives à faire ça ?

— A faire quoi ?

— Ce que tu viens de faire, comment tu peux te déplacer si vite ?

— C'est toi qui te déplaces, dit-il, n'essaie pas de dire le contraire, il y a un tapis roulant quelque part. »

Je ne supporte pas ce genre d'humour, ça me répugne et, bien que ce soit le grand avour de ma mie, ami de ma vour, je vais me coucher immédiatement sur le tapis et m'endormir.

« Je vais me coucher, dis-je, tu termineras tout seul ton bon Dieu de roman à la noix. Pauvre mec. »

Première fois que je l'insulte.

Il louche tellement il me regarde de près.

« Ne pleure pas, dit-il, si tu pleures, je me flingue.

— C'est plus fort que moi, Daniel, je voudrais arrêter de tourner mais je n'y arrive pas, je suis trop malade.

— Salle de bains », dit-il.

Je sais où est la salle de bains. Depuis cinq ans que j'habite ici, je sais parfaitement où se trouvent les pièces. Eh bien, je pars quand même en diagonale par rapport à la porte. Je redresse et vzzzz, voilà le divan qui fonce du centre de la pièce, droit sur moi, comme un obus. Je m'étale. Daniel me tend la main. Je tire, il tombe et on sonne.

Même pas moyen d'être tranquille une heure.

Daniel met son menton sur sa main et dit :

« Je parie que c'est ta mère.

— Possible, dis-je, elle habite ici. Aucune importance, mets ta tête là et dors. »

Il grogne, met sa tête dans mon cou et bâille.

« On n'a jamais dormi ensemble, dis-je, il fallait bien que ça arrive. La solitude ne paie plus de nos jours, même aux States. »

On resonne.

Je ferme les yeux et des soleils tournent chacun dans un sens différent. Je tournoie avec et me disloque en cent mille morceaux. Je suis une myriade de saint-honorés et je me mange moi-même alors que je déteste le saint-honoré.

J'ai quelque chose de froid qui me coule dans le cou.

« Laissez-moi, dis-je, je dois prévenir la C.I.A. que les Russes nous ont repérés.

— Tu devrais avoir honte », dit Kay.

Kay !

Qu'est-ce qu'elle fait là, celle-là ?

« Appelle la Maison-Blanche si tu me crois pas, ils ont repéré nos bases d'envol de missiles. »

L'eau gicle plus fort et c'est la salle de bains qui se trouve autour de moi. Kay cliquette de centaines de millions de bracelets inconnus. Elle a un air consterné qui me surprend.

« A ton âge ! dit-elle. Du whisky pur ! »

J'ai le dedans de la tête qui clapote. Il faut que je me rappelle ce qui est arrivé. Je n'étais pas seule pour prendre cette cuite.

« Et Dany boy ? »

Elle sursaute sous l'exclamation et montre l'entre-bâillement de la porte.

« Ce jeune homme dort profondément », dit-elle.

Je m'enfonce dans la baignoire avec un rot de scotch et de bien-être qui fait vaciller ma mother. De toute façon, il aurait bien fallu que je les présente l'un à l'autre, alors, comme ça, c'est fait. Ils se connaissent, c'est bien plus simple.

J'ouvre un œil. J'ai tout lieu de croire que je suis dans un bain. Mes lèvres sont sacrément sèches.

« J'ai soif », dis-je.

Kay a un haut-le-corps, et se crispe, sévère.

« Tu n'as pas encore assez bu ! »

Je donne une poussée dans le fond et me laisse flotter, béate quelques secondes.

« Ajoute un peu de soda, dis-je, mais juste une goutte : pour parfumer. »

XVII

Je suis donc parti plus tard que prévu et, ce qui m'a quand même fait plaisir, c'est que je suis parvenu à ne pas dégueuler en plein sur les tapis. Je trouve que ça aurait fait mauvais effet, surtout la première fois qu'on rencontre une dame.

On peut pas dire qu'elle soit physionomiste, car elle ne m'a pas reconnu. Elle croit que je suis un copain de classe qui venait faire son probso avec sa fille et qui s'est poivré avec elle sans faire attention. On ne s'est pas quittés grands amis, grands amis, mais enfin, ça aurait pu être pire.

Avec tout ce whisky, on n'a pas fini notre bouquin. Ça traîne sur la fin. En tout cas, le lendemain, j'étais tellement vaseux que je ne suis pas allé au foot. C'est dire que ça n'allait pas du tout.

Aujourd'hui, après-midi cinéma, grâce à Londet. Il prend particulièrement des risques parce que, cette fois, si on se fait piquer, ça va chercher loin : c'est de l'érotisme pur. Lui l'a vu déjà quatre fois, mais c'est pas une référence.

C'est un type sympa mais complètement perturbé par le sexe.

Il faut dire que, depuis deux ans, il n'arrête pas de se fader des pornos par tonne de peloches et, à la fin, ça lui fait des nuits difficiles. Il faut se mettre à sa place.

Au début, Lauren n'était pas emballée, je l'ai bien compris, elle n'a pas dit « non » pour me faire plaisir, mais enfin, il n'y avait pas d'enthousiasme, c'est certain. J'ai insisté en lui faisant remarquer que, pour le côté documentation de notre roman, ce ne serait pas inutile, et elle a fini par succomber au charme de ma voix.

A quatorze heures, je suis allé la prendre à la gare et, trois minutes plus tard, je la présente à Londet.

« C'est Lauren et ça, c'est Londet.

— Bonjour, mademoiselle. »

Il est marrant, ce mec ; il a vu tous les *hard-core* et *strong-love* de l'univers à l'âge où tous ses copains jouent aux billes, et quand il voit une fille pour de vrai, il fait sa pivoine. « Bonjour, mademoiselle ! » Il est là, tout planté avec ses oreilles qui cachent le bout de la rue et sa scoliose de derrière les fagots. Pas à dire, il présente mal.

Mais je l'aime bien. Et puis, c'est grâce à lui que, depuis tout petit, je me suis enfilé plein de cinoches. « Il mord pas, dis-je à Lauren, faut s'habituer à son physique, après, ça va tout seul. »

Londet se gondole.

« Oh ! les mecs, hé ! les mecs, ouah, oh ! non, hé ! les mecs, non mais, hé ho... »

On rit et je me sens bien pour de multiples raisons qui sont dans l'ordre : premièrement, je suis entre Lauren et mon meilleur copain, on peut donc dire que je trône entre l'amour et l'amitié, n'ayons pas peur des mots ; deuxièmement, on va se passer l'après-midi au cinéma, et ça, c'est une joie de l'existence, peut-être la meilleure. Pourtant, je dois dire que j'ai de l'inquiétude tout au fond de la tête. C'est que, tout de même, on va voir un drôle de film. Londet m'a prévenu.

« On voit tout ce qu'ils font, a-t-il dit.
— Justement, ai-je dit, qu'est-ce qu'ils font ?
— Ils font tout », a-t-il dit.

Après tous ces renseignements, il n'y a pas à s'étonner de mon inquiétude. Quand il a su que je voulais amener Lauren, il a agité les oreilles tellement fort que j'ai cru qu'il allait décoller comme à Orly. C'est un type de géométrie variable.

« T'es fou, a-t-il dit, tu vas la dégoûter des choses de l'amour. »

Il cause bien quand il veut.

« Et toi, depuis que tu en vois, ça t'a dégoûté ? »

Il a réfléchi avec acharnement et a avoué :

« Non. »

Il a réfléchi et, comme il est vraiment sincère, il a même dit :

« Au contraire.

— Alors, ai-je ajouté, pourquoi est-ce que ça la dégoûterait ? Faut pas être phallocrate, mon petit pote. »

Bref, on va au cinéma. On remonte par la rue de la Gare et il n'y a que nous trois sur la chaussée.

« Regardez », dit Lauren.

Au bout de son doigt, il y a un arbre tout maigriot derrière les grilles d'un vieux pavillon. Tout est moche : le vieux pavillon avec ses pierres comme de l'éponge séchée, les mêmes avec lesquelles on construit les écoles, les grilles comme aux prisons et l'arbre, noir des racines aux branches, qui pousse dans dix centimètres carrés de mâchefer, mais au bout des ramilles débiles il y a des têtes d'épingle de bourgeons si verts que ça en fait mal aux dents.

Elle sourit.

« Le printemps », dit-elle.

Bingo.

Elle a le chic pour dire des choses belles, pour trouver le détail qui redore la vie ; c'est un don, ça ; aujourd'hui, par exemple, elle se balade dans ce coin merdeux gris sur gris, et crac, il y a un milligramme de verdure au milieu, eh bien, elle le trouve du premier coup, et alors tout change, tout s'ensoleille, de Nanterre à Colombes, même Londet qui en est tout ébloui.

« Daniel a dû vous prévenir, c'est spécial comme film, c'est un film qui... »

Il m'énerve.

« Te fatigue pas, on sait ce qu'on va voir.

— Il ne faut pas vous inquiéter », dit Lauren.

Voilà le ciné. C'est à l'angle, une bâtisse toute basse, et au-dessus de l'entrée il y a le panneau publicitaire : une grosse brune toute maquillée qui se trémousse sur un plumard, entortillée avec une blonde encore plus grosse qu'elle. Ça s'appelle *Spasmes et Frénésies*.

Londet soupire comme pour s'excuser et nous le suivons.

« On passe pas par la caisse ? » demande Lauren. Surtout pas.

On entre dans le garage à côté, là où le père à Londet range sa bagnole, et on sort dans une première cour où il y a des lapins. Il y a encore plein de lapins à La Garenne. Après, on descend un escalier comme une cave et, avant d'arriver aux chaudières, on prend sur la droite. Ça sent toujours l'eau de Javel dans ce coin-là. Je tiens la main de Lauren.

« T'as pas ça dans ton XVIᵉ, hein ?

— Non, mais j'ai du whisky.

— Attention ta tête. »

Là, on entre par une sorte de trappe et on est dans un grand placard plein de boîtes de films, de vieilles planches et de poussière. Il y a juste une loupiote au plafond. Un des murs se termine par une bande vitrée.

« Monte sur la chaise. »

Nous grimpons ensemble et, à travers la bande vitrée, on voit l'écran. On est juste à côté de la cabine de projection. C'est là que j'ai vu tous mes Redford.

« Evidemment, chuchote Londet, on est debout, mais on s'y fait ! Et puis, comme ça, c'est gratuit. »

Je sens le souffle de Lauren contre ma joue. Son nez arrive juste à hauteur de la vitre.

« T'approche pas tant, dis-je, tu vas faire de la buée. »

En dessous de nous, la salle est presque pleine. On devine des têtes dans la pénombre rouge. Londet grimpe à côté de moi. Je me tourne vers lui.

« Tu vas le revoir ? »

Le voilà qui remue encore ses oreilles. Il sent que Lauren le regarde et ça a l'air de l'épouvanter.

« C'est pour vous tenir compagnie ; moi, personnellement... »

Il fait le geste du type blindé que rien n'entame, mais il est complètement nerveux.

Noir soudain. Même la loupiote s'est éteinte. On est debout tous les trois sur nos chaises.

« Y a pas de dessin animé, souffle Londet ; quand on passe un porno, il n'y en a jamais.

— Pourquoi ? chuchote Lauren.

— Ça siffle dans la salle, ils ont pas payé pour voir Mickey.

— Fermez-la, dis-je, on est au ciné ou on cause ? »

Ils se taisent. Sur l'écran, le générique défile. On peut pas prétendre qu'il y ait grand monde, et pas des vedettes, c'est le moins qu'on puisse dire.

On est dans une chambre. Au moins, on n'a pas perdu de temps à y arriver. La caméra se promène un peu, de-ci de-là, toute molle, et voilà un lit. Attention, ça se précise. On perd pas de temps en préparatifs, dans ces films. Une dame dort. On sonne. Elle se réveille. Elle bâille drôlement mal, l'actrice, elle n'a pas dû répéter ça longtemps. Elle se lève. Elle a une chemise de nuit de dingue, transparente d'abord, au ras des fesses ensuite, et, comme c'est certainement pas chaud non plus, je voudrais bien que quelqu'un m'explique à quoi ça sert. Enfin, c'est la société de consommation.

Elle ouvre. Ah ! attention, un type à la porte. Le genre prétentieux, sapé au Bodygraph avec une cravate à palmiers.

« On dirait l'associé de mon père, souffle Lauren, Stanley Busby, celui qui fonce sur les toasts au saumon. »

La nana de l'écran se fait rouler une pelle superbe ; attention, on dirait que..., oh ! là, là ! ça n'a pas l'air pour de rire... Et puis la bande sonore, alors, chapeau, ça soupire comme un chemin de fer à crémaillère. Oh ! là !

Oh ! là !

Ça m'embrase le visage. Je n'aurais pas cru qu'ils montraient ça sur l'écran. En gros plan. Et couleur, bien sûr.

Je n'ose plus bouger. Lauren est figée. Je suis sûr qu'elle est écarlate. Elle chauffe comme un fourneau.

Là-bas, ils se démènent comme des fous. Ça n'a pas

traîné. Ce n'est pas le dialogue qui ralentit l'action. Oh ! bon sang, ils vont tout casser, pire que des catcheurs.

Un coup d'œil sur Londet, rivé à la vitre. Oh ! bon Dieu, je n'aurais jamais cru ça, j'ai de la honte quand même, et je ne sais pas pourquoi. Ces deux zigotos que je ne connais pas et qui se passent des prises terribles, ça me fait honte pour eux. Pour moi, pour Lauren, même pour Londet qui n'en perd pas une. J'ose plus regarder, dix ans de ma vie pour être ailleurs.

Pas encore fini ! Ça ne va quand même pas durer tout le film, cette corrida ! Les formes s'agitent, s'emmêlent, ça se trémousse. Tonnerre, si c'est ça l'amour, c'est pas demain que j'y tâte ; avec ma pudeur masculine, je ne suis pas prêt à faire ça à une dame.

Terminé. Ouf !

On respire ensemble tous les trois. Je me racle un peu la gorge.

« Hum, hum.

— Hum, hum », dit Lauren.

Silence.

Je me demande à quoi elle peut bien penser.

Le monsieur se rhabille et sort. La dame se tortille sur son lit, et crac, voilà qu'on resonne. Décidément, elle ne peut jamais être tranquille.

Elle va ouvrir et c'est une autre dame. Pas catholique du tout, à en juger par ses manières. Oh ! là ! oh !...

C'est reparti avec les locomotives et tout le tremblement. Un quart d'heure que Londet ne respire plus.

« J'en ai marre, dis-je ; qu'est-ce qui va lui arriver, après ça ? »

Il se retourne avec tout son corps comme s'il avait une nuque de pierre.

« La même chose, mais en mieux, dit-il ; à un moment, elle... »

On resonne à la porte. Les deux bonnes femmes

106

s'arrêtent et elles vont ouvrir, et qui c'est qui est là ? C'est le monsieur de tout à l'heure. Il a dû oublier quelque chose. C'est vraiment compliqué comme scénario, heureusement qu'on est arrivés au début. Il n'est pas gêné ou il a chaud ou les deux ensemble, en tout cas le revoilà nu avec son sacré machin tellement long qu'on peut faire un travelling dessus. Lauren donne un coup de pied dans le mur.

« Je voudrais sortir », dit-elle.

Ça, ça m'arrange terriblement ; j'ai une excuse pour m'en aller, je n'ai donc pas l'air de vouloir fuir.

Nous descendons ensemble de la chaise et, au passage, je tape sur la fesse à Londet.

« Te dérange pas, je connais le chemin. »

Il ne s'aperçoit même pas qu'on s'en va. On redescend et voilà la lumière, d'un coup, comme un cri.

Je regarde Lauren. Adossée à la brique, elle a des sanglots qui la soulèvent, et elle fixe le ciel tout là-haut obstinément ; les larmes descendent vers les oreilles et coulent dans ses cheveux.

Je mets les mains dans mes poches.

« Ce n'est pas ma faute », dis-je.

Elle ne m'en veut pas, je le sais, mais je sais aussi qu'elle ne sait pas expliquer les raisons pour lesquelles elle pleure, ça serait trop long, trop difficile, même pour nous qui sommes des ténors du cigare.

Alors, il vaut mieux rien dire, rester là, navrés, jusqu'à ce que ça s'apaise, jusqu'à ce que l'on puisse repartir et oublier. Peut-être, dans la cour, où les lapins s'agitent, attendrons-nous la nuit.

XVIII

Ça y est, c'est vert sur le Trocadéro et j'ai remis mes sandales ; ce sont les deux signes qui ne trompent jamais : le printemps s'est ancré dans Paris.

Une saison est née, ô toi, belle Ariane...

Comme je suis vieille ; douze fois que les jardins ont pris cette couleur depuis que j'existe.

En ce moment, mon souci numéro un, c'est la fête du 17. A chaque 17 avril, qui c'est qui offre une petite fête pour son anniversaire ? C'est moi.

En fait, c'est Kay. Elle adore préparer des tablées pleines de choses hypergluantes du genre mousse au chocolat, orangeades, meringues, nougatines, etc. La plupart du temps, les mômes sortent couleur de crème à la vanille et ont juste le temps de s'engouffrer chez eux pour aller vomir dans leur lavabo. A quatre heures, alors qu'on est déjà à mariner dans la confiture depuis deux heures de l'après-midi, elle apporte le clou de la journée : le moka.

Rien que de le voir, j'ai déjà l'estomac qui fait trois tours, tout le monde gémit et Kay s'imagine que c'est un murmure de gourmandise. Ce jour-là, elle s'habille jeune, en mousseline, elle ressemble à de la brioche et elle fait des sourires qui terrorisent tout le monde. Al Chambas sort sa flûte vers les cinq heures et commence à canarder sec, tout le monde bâille, les garçons ont des plis à leurs pantalons, les filles tirent leurs socquettes et Kay va de l'un à l'autre en essayant de caser sa gelée de groseille — une des spécialités de Dallas avec les assassinats de présidents.

Cette année, ça va être différent parce que, au lieu de recevoir vingt-cinq gosses, c'est-à-dire toute la progéniture de tout ce que le quartier comporte de rupins américains, il faut que je me débrouille pour que l'on ne soit pas plus de quatre.

Daniel, Nathalie, Londet et moi.

Nathalie parce que c'est mon amie malgré tout, Londet parce que c'est son copain et que je ne peux pas inviter un garçon seul, ça ferait louche. Surtout que Kay l'a vu le jour où il était soûl comme une grive et que, bien qu'exceptionnellement peu futée, elle pourrait comprendre qu'il y a anguille sous roche. Et puis ce serait drôle si Nathalie et Londet... Depuis le temps qu'elle me bassine avec son amour éternel pour son Bobby Mac Apaloos, j'aimerais bien voir comment elle s'en tire devant la tentation ; deux handicaps à mon avis à cette entreprise : la taille de la mignonne et les oreilles du mignon. S'ils arrivent chacun à faire abstraction de ces deux caractéristiques, c'est gagné. Mais ça va représenter un bel effort de leur part.

La voilà.

Si vous voyez un jour arriver un amoncellement de paquets droit sur vous, vous pouvez espérer qu'il y a Kay derrière.

« Bonjour, maman. »

Elle émerge, surprise. Il faut dire que je suis rarement aussi avenante. Elle m'examine et louche avec suspicion sur mon sourire divin.

« Je suis vannée. Pas un taxi sur la place de la Concorde.

— Il y a des bus. »

C'est sorti trop vite. Le seul moyen de se faire une ennemie de Kay, c'est de lui proposer de prendre l'autobus. Cela désagrège son fragile moral. Il faut que je me rattrape.

« Tu as fait de bons achats ? »

J'accumule les gaffes. C'est comme si j'avais demandé à un paysan si la récolte a été bonne. Cela fait pourtant douze ans que j'entends répéter que l'on ne trouve plus rien nulle part.

Elle se traîne dans sa chambre et je la suis. Assise sur son pouf, devant sa glace ovale, elle se tapote les fanons. Encore une chose inexplicable : elle est maigre comme un clou et elle a des fanons. Je me lance :

« Je voudrais te demander, au sujet de mon anniversaire... »

Elle continue à tapoter.

« Je t'écoute, Lauren.

— Voilà... Je trouve que ces grandes réunions, c'était parfait lorsque j'étais petite, mais que maintenant il me semble que quelque chose de plus simple..., d'intime..., de décontracté... »

Je suis partie et je m'emmêle un peu dans des tas de considérations différentes et...

« Mais enfin, Lauren, qui veux-tu inviter ? »

Nous y voilà. C'est là qu'il faut rajouter de la sauce.

« Eh bien, tout d'abord, mon amie Nathalie dont je te parle si souvent et dont les parents ont la très belle situation que tu sais et, après Nathalie, j'avais l'intention également de faire venir Gérard Londet, je ne sais plus si je t'en ai entretenu, mais c'est un garçon très sympathique dont le papa possède une chaîne de salles de cinéma d'art et d'essai, et enfin un autre garçon, ami du premier, ils sont vraiment inséparables, tu sais, ha, ha, ha, ha ! jamais l'un sans l'autre, alors j'ai pensé que cela leur ferait plaisir à tous les deux de se retrouver ensemble pour mon anniversaire. »

Je me tais. Chaque seconde pèse deux cents kilos. Kay arrête de tapoter. On s'épie. On dirait l'instant où Hermione guette le retour d'Oreste après qu'il a tué Pyrrhus.

« Et ensuite ? »

Je reprends ma respiration.

« Eh bien, si on récapitule, il y a Nathalie, Gérard Londet, l'ami de Gérard Londet et puis, et puis, eh bien, il y a moi. »

Elle se retourne.

« Parce que tu comptes venir également ? »

J'éclate d'un rire absolument inextinguible. J'espère que ça va lui faire plaisir, elle brille tellement peu par son sens de l'humour qu'il faut quand même récompenser ce bel effort.

« Ecoute, dis-je en m'essuyant les yeux, j'en ai un peu assez des grands tralalas, de tout ce monde qui se goinfre de pâtisscries, ce serait beaucoup plus simple de... »

Elle a un haut-le-corps subit. Elle vient de penser à quelque chose.

« Et les Ford ? Tu imagines la tête de Mme Ford si je n'invitais pas leur jeune Tommy ? »

Il y a pas mal de Ford aux States, presque autant que de voitures, mais ces Ford-là ont vaguement quelque chose à voir avec le président bien connu.

« Mais tu pourrais... »

Deuxième haut-le-corps.

« Et les Stevens ? Cela fait dix ans que leurs jumelles viennent t'apporter leurs vœux chaque année ! Et Stevens est un ami de ton père ! »

Le souvenir des jumelles Stevens me fait monter des vagues de chaleur.

« Les Stevens sont des fascistes, dis-je, je les ai rencontrés avenue du Roule avec des tee-shirts *Vote for Republican Party*. Elles ne mettront plus les pieds ici, c'est mon anniversaire après tout, merde alors ! »

Kay se dresse.

« Lauren, je te demande de t'exprimer autrement et de me faire grâce de tes opinions politiques déplacées. »

Je hurle :

« Elles ne sont pas déplacées. Je veux un anniversaire différent ! Sans Stevens, sans Ford, sans moka et sans napperons !

— Avec whisky, peut-être ? siffle la vipère.

— Je m'en vais, dis-je, on va finir par se dire des choses désagréables. »

Ulcérée par tes cris, le cœur rongé de larmes,
En pleurs je me retire en mes appartements.

111

Je sors et, par un prodige de volonté, j'arrive à ne pas claquer la porte.

Je me demande si je vais parvenir à mes fins.

XIX

Londet sortant du coiffeur, ça vaut le déplacement. Même quand j'habiterai Beverly Hills, je prendrai le jet pour ne pas louper le spectacle. C'est la coupe colonie de vacances avec dessus laqué et nuque C.R.S. Spécialité La Garenne.

« Je ne te demande pas si t'as l'affiche. »

Il hausse les épaules.

C'est son cadeau d'anniversaire pour Lauren. Une affiche de cinéma. Et pas une petite, six mètres carrés. Enroulée, on dirait une canne à pêche.

Moi, c'est pas grand-chose, juste ma photomaton. Je me suis fait prendre hier, au Monoprix.

« Comment elle est, cette fille ?

— Quelle fille ? »

Le train démarre. En avant vers la fête.

« La copine à ta copine... »

Ça le travaille drôlement depuis une semaine. Je ne lui ai donné jusqu'ici que des renseignements assez vagues pour ne pas le démoraliser dès le début : « Sympa, elle s'appelle Nathalie..., serviable..., assez chouette comme fille..., enfin tu verras..., ça dépend des goûts... »

Je le sens inquiet.

« Alors quoi, mon petit père Londet, tu vas pas me dire que t'as le trac, toi, le prince du porno ? »

Il regarde défiler Bécon-les-Bruyères sans rien voir vraiment.

« Elle est pas trop bêcheuse comme nana ? »

Il commence à me fatiguer avec ses angoisses.

112

« Pas du tout bêcheuse, mais attends de la voir ; encore dix minutes et on arrive, alors faut pas t'exciter comme ça. »

Paris-Saint-Lazare.

C'est vide le dimanche, on sprinte, on descend le métro à cent à l'heure et j'arrive le preu dans un fauteuil. Il faut reconnaître qu'il est handicapé par son affiche.

« On descend là. »

C'est beau dehors ; tout de suite, on voit que c'est un quartier pour gens pognonneux : c'est plus large qu'ailleurs.

On sonne. Londet déglutit à toute vitesse. Ses oreilles battent tellement qu'il va filer plein largue, comme un dériveur.

Ça s'ouvre et... Bingo, pour le coup, il n'y a plus de banlieue. Il n'y a plus de Paris non plus, plus de France, ni d'univers, juste une fille plantée, unique sur la planète, devant moi et pour moi seul ; oui, voilà ce que c'est, Lauren, en cette seconde, et je la verrai toujours maintenant comme ça, avec son sacré sourire.

« Alors, vous entrez ou on s'assoit sur le trottoir ? »
Elle rit et je m'avance.

« Bon anniversaire », dit Londet.

Il lui file son affiche et elle m'embrasse, ce qui prouve bien que l'amour est vachement égoïste. En glissant léger, je lui bise un coin de lèvre et on entre.

« Voici Nathalie », dit Lauren.

Aïe, aïe, aïe, c'est le grand moment, celui des catastrophes.

Londet regarde devant lui, ses yeux montent, montent encore, et atteignent ceux de la charmante.

« Bonjour », dit Londet doucement.

Un gazouillis de ruisselet.

« Venez, dit Lauren, on va dans ma chambre. »

Les filles passent devant. J'ose pas le regarder. Pourvu qu'il ne soit pas trop fâché, il serait capable de me couper le cinéma.

« Comment tu la trouves ? »

Il s'arrête, suit la géante des yeux, bouge l'oreille droite et murmure :

« Mignonne. »

L'amour vient de naître.

C'est pas possible d'expliquer ça autrement que par le coup de foudre. J'insiste :

« Tu la trouves pas un peu grande ? »

Il paraît surpris.

« Une bonne taille », dit-il.

C'est vraiment l'amour. On est dans la chambre. Lauren fonce sur un tourne-disque et, d'un coup, c'est Johnny Mathis. Les filles adorent, en général.

« Voilà, dit-elle, on va rester ici. On sera tranquilles et il y a de quoi bouffer. »

Sur un bureau, il y a tout un tas de sandwiches, gâteaux, crèmes : la vitrine du pâtissier.

Ça me fait drôle d'être dans sa chambre, j'ai envie de m'excuser et de sortir sur la pointe des pieds. Elle a un lit bien plus large que le mien avec un truc en satin qui brille et des livres partout le long des murs, des posters aussi... Tiens, en parlant de poster...

« Tu la déroules pas, ton affiche ? »

On s'y met à quatre et on l'étale par terre. Elle recouvre presque toute la pièce. Triple exclamation.

Il a les oreilles rouges, le Londet, autant que les joues de Nathalie.

« C'est le hasard ou tu l'as fait exprès ?

— J'en avais pas d'autre, dit-il, je l'ai chouravée avant-hier dans le hall.

— J'aime beaucoup », dit Lauren poliment.

Nathalie mord dans son mouchoir et pousse un gémissement sans quitter l'image des yeux.

Le titre est immense et cache des dames aux yeux révulsés : *Les Acharnées du plaisir.* En dessous il est écrit : *Vous ne serez plus jamais sexuellement le même après avoir vu ce film.*

Je me tourne vers Londet.

« Tu l'as vu, toi ?

— Non.

— C'est bien ce qu'il me semblait. »

Les filles rient. Londet se vexe.

« J'en ai vu d'autres, dit-il, des *strong-love*, mais les meilleurs, ce sont les *collective groups*. »

Ça y est, il va encore ramener sa science.

« Vous va souvent au cinéma ? » demande Nathalie.

Il bat trois fois des oreilles, tant son émotion est intense.

« Tous les jours si je veux, dit-il.

— Moi, dit-elle, je préfère la théâtre.

— J'aime aussi », dit Londet.

C'est le grand flirt. Je m'approche de Lauren.

« Hello, baby ?

— Hello, Kid. »

Je lui tends ma photo.

« Cadeau. Comme ça, tu pourras me contempler jour et nuit. »

Elle la regarde et me sourit.

« C'est tout à fait toi », dit-elle.

Elle m'embrasse et m'entraîne vers le buffet.

« Vas-y, dit-elle, mange, sinon tu vas ressembler à ta photo. »

J'entame un chou à la crème orange. Toujours ce vieux rêve de commencer un repas par le dessert.

« Entre ma photo et son affiche, dis-je, on peut dire que tu es vraiment gâtée... »

Elle jette un œil vers les deux autres qui s'empiffrent les yeux dans les yeux.

Elle paraît triste tout à coup.

« Tu veux que je te dise, Daniel, on est des handicapés. »

Je sursaute. Elle ne va tout de même pas me faire une déprime le jour de ses douze ans...

« Explique-toi. »

Elle secoue la tête.

« A part toi, dit-elle, je ne peux parler avec personne. Au lycée, les filles de ma classe ne me comprennent même plus quand je leur dis qu'elles me cassent les pieds. J'ai trop de vocabulaire. Pour les rédactions, je les fais mal exprès pour ne pas écraser les autres, mais ça ne fait rien, c'est quand même toujours moi la meilleure. »

Je ris pour lui remonter le moral et j'espère que ça ne sonne pas trop faux.

« Ne t'en fais pas, dis-je, ils nous rattraperont bien un jour ou l'autre et, à ce moment-là... »

Elle lève brusquement les yeux et il y a de la panique dedans, tellement de panique qu'elle me la communique instantanément.

« Eh bien, justement, dit-elle, c'est ça qui est terrifiant. Et s'ils ne nous rattrapaient jamais ? »

J'ai la gorge sèche d'un coup.

« Qu'est-ce que tu veux dire ?

— Tu le sais très bien. En math, d'après les derniers résultats, tu sais où j'en suis ? »

Je lui fais signe que non.

« J'ai atteint un niveau que les neuf dixièmes des adultes n'atteignent jamais et je pourrais d'ores et déjà tenter le concours d'entrée à Harvard. »

Je m'assieds, jambes coupées.

« A douze ans !

— A douze ans », confirme-t-elle.

Des larmes de désespoir apparaissent.

« Et le pire, c'est que je me rends compte que, pour le français, c'est pareil ; si je veux, je bloque le Goncourt l'année prochaine.

— Ça ne prouverait rien », dis-je.

Les larmes vont jaillir ; elle a l'air lamentable tout d'un coup dans sa jolie robe.

« Tu sais où je vais finir, Daniel ?

— Non.

— Dans un musée, dit-elle, spécimen vivant, un Einstein femelle. Les gens viendront me poser des problèmes, comme à un ordinateur. »

Je me secoue.

« T'es dingue, dis-je, je ne laisserai jamais faire une chose pareille. »

Je cherche désespérément quelque chose de rassurant à lui dire ; si je pouvais trouver une faiblesse, quelque chose qui lui prouve qu'elle n'a pas un cerveau géant...

« Regarde, on n'a même pas été foutus de finir notre roman : on n'est donc pas si forts qu'on en a l'air. »

Ça ne semble pas la rasséréner énormément.

« En travaux manuels, dis-je, t'as pas l'air de flamber tellement... J'ai même l'impression que tu es plutôt nullarde en couture.

— Il faut pas exagérer, dit-elle... Je...

— Et en cinéma, si je n'avais pas été là, tu aurais toujours confondu Laurel avec Hardy.

— D'accord, mais...

— Et en cuisine, dis-je, tu sais faire des tournedos à la périgourdine ?

— Non, mais...

— Bon alors, dis-je, arrête de te considérer comme le centre de l'univers. »

Ça y est, ça a dû réussir, parce qu'elle rit maintenant.

« Heureusement que tu es là, dit-elle. Mais toi aussi tu es super-intelligent.

— Moins que toi. Surtout en math.

— Je t'aime quand même.

— Joyeux anniversaire. Si tu t'occupais de ce jeune couple si bien assorti ?

— C'est vrai, dit Lauren, je les oubliais, ces deux-là. »

Elle s'envoie un grand verre d'orangeade derrière les amygdales et fait quatre claquettes à la Ginger Rogers.

« La fête commence », dit-elle.

XX

Après trois bouteilles de soda à la file, on tient la grande forme. Londet et Nathalie ne se quittent plus des yeux, et Daniel est l'astre du jour dans les ténèbres de ma vie.

Belle formule poétique. Je dois avouer que je suis assez douée en poésie : j'ai bien écrit cinq mille vers raciniens pour raconter mes amours cérébrales avec l'échalas de l'année dernière. Ce qui me rassure, c'est que j'ai lu que Tennyson en avait écrit vingt-cinq mille à l'âge de quatre ans et demi, ce qui prouve qu'on trouve toujours plus surdoué que soi.

Donc la fête bat son plein. Je me lève soudain, sandwich d'une main, verre de l'autre.

« Les amis, dis-je, j'ai tout fait pour vous éviter ça, mais je n'y ai pas réussi ; il va falloir que je vous présente au jeune Tommy Ford.

— Qui c'est, çui-là ? demande Londet.

— Un cousin du président, dis-je ; ma mère a tenu à ce qu'il vienne, sinon ça aurait fait des étincelles entre I.T.T. et la Maison-Blanche.

— Comment est-il ? » questionne Daniel.

Son ton est légèrement acidulé.

Jaloux, joli garçon ? Je me sens complètement vamp aujourd'hui. J'ai même des envies de talons-aiguilles.

« Play-boy, dis-je, mais question Q.I., c'est la petite moyenne. »

Daniel ouvre la bouche pour répondre au moment où la porte s'ouvre : c'est Tommy. Quand je dis play-boy, j'exagère. Il a l'allure générale du type qui décolle rarement de son écran télé.

Il s'avance, aperçoit l'affiche. Il faut dire qu'elle tient à peine sur le mur du fond et cache une partie du plafond. Il dit : « Arghh. »

Je lui tape sur le dos pour le réconforter.

« C'est bien ici. Entre, c'est plein de copains sympas. »

Daniel le regarde comme s'il était un cobra royal et mon âme féminine frémit d'une joie perverse. Peut-être tout cela va-t-il finir par un combat sans merci.

La température baisse à toute allure et cela est insupportable pour une bonne maîtresse de maison.

« Je propose un jeu, dis-je ; vous êtes d'accord ? »

Nathalie saute sur ses pieds et bat des mains, tandis que les autres rattrapent les assiettes de petits fours.

« Oh ! oui, oh ! oui, dit-elle, un jeu !

— Chic, chic, chic, rajoute Londet.

— O.K., murmure le jeune Ford.

— Je vous suis, crache Humphrey du coin de la bouche.

— Voilà, dis-je, c'est un jeu qu'on a inventé, Daniel et moi, et qui s'appelle " La grosse tête ". Tu leur expliques ? »

Daniel écrase son mégot de Stuyvesant dans une soucoupe et parle sans remuer les lèvres.

« C'est facile, dit-il, c'est un mélange d'échecs, de belote coinchée et de poker d'as, mais la particularité, c'est que ce n'est pas la peine de savoir jouer à chacun des trois pour jouer à celui-là. »

Nathalie se ratatine sur la moquette.

« Je sens que moi ne vais pas savoir, dit-elle, j'ai cette sensation.

— On va apprendre, dit Londet, on va nous expliquer. »

C'est vraiment le garçon plein de bonnes intentions. J'installe le jeu d'échecs, je bats les cartes et Daniel commence à faire rouler les dés.

« Voilà, dis-je, on s'assoit et on commence.

— Vous n'avez pas de dames ? » demande Tommy.

C'est vraiment la fin de la petite bourgeoisie politicarde, je viens d'en prendre conscience.

« Silence, dis-je, on n'interrompt plus. Alors voilà : on a cinq cartes chacun et chacun balance les dés. Celui qui gagne peut choisir entre jouer aux cartes ou aux échecs qui sont interchangeables, car le roi d'échecs correspond au valet d'atout, la dame au neuf d'atout, et ainsi de suite ; et, bien entendu, vous avez le droit de remplacer les cartes par les dés, mais seulement si vous avez un brelan d'as. Quant aux petits pions, ils sont équivalents aux 7, 8, 9, et 10 de chaque couleur, les tours correspondant aux rois, à l'exception évidemment du roi d'atout qui ne peut être pris que par un full aux as par les dames. C'est clair ?

— Une seconde, coupe Daniel, tu oublies de mentionner qu'au cas où le roi est en échec, le coup n'est pas valable si l'on a une tierce belotée ou deux paires dont l'une au moins comporte des valets.

— Exact, dis-je, et évidemment, si vous avez par hasard toutes les reines, celle de carreau, celle de pique, de trèfle et de cœur, que vous ajoutiez à cela celle de votre jeu d'échecs, cela vous fait cinq reines, soit un surpoker. Cela explique que vous avez intérêt dès le départ, non pas à tenter l'échec et mat, mais à piquer avec vos dés le maximum de pièces à vos adversaires. On y va ? »

Silence. Je les regarde.

« Qu'est-ce qu'il y a ? demande Daniel ; vous avez peur qu'une bombe explose ? »

Londet clignote lourdement des paupières et on dirait que sa langue est plus grosse soudain dans sa bouche. Il fait peine à voir.

« Je n'arrive pas à comprendre comment on peut ajouter une dame d'échecs à une dame de carreau, gémit-il.

— Grâce aux dés, affirme Daniel ; tu comprends, tu peux toujours choisir entre les trois : une carte, un dé ou une pièce ; alors, tu joues et tu prends ce qui t'arrange, tu combines les jeux, quoi.

— Qu'est-ce que je combine ? pleurniche Nathalie.

— Enfin quoi, bon Dieu, c'est simple, non ! s'insurge Daniel, on vient de vous expliquer.

— On fait un tour pour rien, dis-je. Tommy boy, tu distribues les cartes. »

Ça y est, tout est en place. Daniel commence. Il fait rouler les dés, sort une paire aux 10, hésite, prend le cheval blanc et dit « Atout trèfle ».

C'est à Tom Ford. Pétrifié, il nous regarde, ses cartes à la main.

« Alors, dis-je, tu te décides ? »

Il jette les dés, prend un fou et lance, la voix pâle : « Belote ! »

Calmement, Daniel se met à ranger ses cartes.

« Rien compris, constate-t-il.

— Mais enfin, explose Nathalie, où est-ce que vous avez trouvé un jeu pareil ?... »

Je me sens blessée dans ma créativité.

« On l'a inventé, Daniel et moi, ma vieille, et à ce que je remarque, on est les seuls à savoir y jouer.

— On joue aux dames ? » demande Tommy.

Il commence à me casser sérieusement les pieds, celui-là, avec ses dames.

« Non, dis-je, je vais vous proposer un autre jeu. »

Tom Ford grince comme une serrure rouillée.

« Pourquoi c'est toujours à tes jeux qu'il faut jouer ?

— Parce que c'est mon anniversaire, dis-je.

« Voilà, c'est un test de psychologue, mais on peut en faire un jeu. On regarde une photo et, à partir de ça, on invente une histoire. »

Nathalie a un sursaut de révolte.

« Faut écrire ? Je ne pas jouer.

— Vous jouez les dames ? demande Tommy.

— En avant pour les dames », a soupiré Londet.

Je n'en avais pas envie et Daniel non plus. Nous nous sommes regardés et c'est peut-être en cet instant que la décision fut prise.

Nous étions parfaitement isolés : à des milliers de kilomètres de nous, trois enfants de notre âge commençaient une partie de dames et nous étions seuls sur un radeau, nous le serions toujours.

C'est peut-être alors dans ses yeux que j'ai lu cet

appel, ce fut peut-être dans les miens qu'il le discerna, mais je savais avant qu'il ouvre la bouche vers quoi allait tendre notre vie à présent : à ce voyage, à ce départ à deux vers un pays lointain où nous serions ensemble et où nous nous retrouverions, étranges passagers de cet univers qui ne nous avait pas fait encore de véritables places, coincés entre des enfants trop bêtes et des adultes sans génie ; il fallait fuir.

Passy, La Garenne, tout cela nous gênait aux coudes, nous collait au cerveau.

On rattrape toujours les jeunes fugueurs.

Certes.

Mais pour nous ce serait différent, car, sans offenser le reste du monde, nous savons nous servir de notre cervelle un peu mieux qu'il n'est prévu.

« Daniel, je... »

Il a posé un doigt sur ma bouche et a demandé simplement :

« Où ? »

C'est vrai, où irions-nous ? En quelle île grecque, dans quel temple antique, en quel séjour noyé de soleil et de mer ?... Où vont les gens qui s'aiment ?

XXI

« Asseyez-vous ici, monsieur Michon. »

Salle semi-circulaire, les murs sont couverts de plaques de liège, c'est pour l'insonorisation, pas dur à deviner.

Des micros pendent. Des fils entre mes pieds s'entrecroisent jusqu'à d'immenses soupières renversées qui sont des haut-parleurs.

« Monsieur Magnard..., en face de M. Michon. »

Je le connais bien, M. Magnard, la France entière le connaît... Il a sa tête dans les journaux... Une vieille tête de vieil habitué pas commode, pas décidé du tout à se faire virer le cul de sa place. Cinq semaines qu'il tient la corde, le vieux, toujours bien placé dans les virages.

« Nous allons procéder à des essais... »

Salement énervé, le responsable. Derrière la vitre, ça s'agite drôlement : c'est pas les magnétophones qui leur manquent, dans le studio.

Ce qui me fait drôle, c'est de penser qu'en ce moment la radio marche, partout des types écoutent, dans les fermes, les bagnoles, les mémères des H.L.M., et tout ça c'est à cause de ces barbus chevelus qui passent des disques dans leurs cages de verre comme des poissons dans leur aquarium...

Silencieux, les mecs... Parlent par gestes comme les sourds-muets.

Est-ce que j'ai le trac ? Je pense que j'ai le trac. Oui, j'ai le trac. C'est du côté du ventre, à l'endroit où les femmes doivent avoir leurs ovaires, que ça me fait drôle. Même pas le temps de faire pipi.

« Alors, jeune homme, on s'intéresse au cinéma ? »

C'est pépé Magnard qui tente d'entrer en conversation pour dérouter l'adversaire. Une tentative d'intimidation en quelque sorte. Que dirait Lauren ? Ah ! oui...

D'un vieillard dangereux crains l'horrible blessure...

Ou quelque chose dans ce goût-là.

« Un peu, dis-je, par-ci, par-là. »

Voix dans le haut-parleur :

« Pouvez-vous vous rapprocher du micro, monsieur Magnard ? »

Magnard se rapproche, sourit à l'aise, fait des gestes d'amitié aux ingénieurs de son, il est chez lui, il se croit installé pour la vie, le pépé.

Faut que je gagne, vingt dieux, faut que je gagne et ça va pas être du sucre. Elle est à l'écoute, évidemment, dans son salon gigantesque, collée au poste. J'espère qu'elle a plus la trouille que moi.

Bon Dieu, ce qu'il ne faut pas faire pour gagner du blé !

« Essai, s'il vous plaît, l'antenne dans trois minutes. »

Je me vide. Je me vide littéralement. Je vais uriner sur la moquette.

Le responsable énervé désigne le micro suspendu sous mon nez, carotte noire et quadrillée.

« Dites-moi quelque chose, monsieur Michon.

— Euh !... je m'appelle Daniel Michon. »

Regard interrogateur du responsable vers les vitres. Un barbu dessine un petit cercle entre le pouce et l'index : c'est O.K.

Ça va partir.

Et Magnard qui nage dans l'huile. C'est de la folie d'être venu ici, une folie complète, il est imbattable, absolument, il sait qui en 1922 a composé la musique d'un film serbo-croate de série Z que personne n'a jamais vu... Je vais être éliminé au premier nom, la raclée splendide, complètement déculotté, le Dany, et adieu Venise...

« Tu envoies le retour, François ? »

Voyant vert au-dessus de la porte. Serre les fesses, mon pote, t'es sur le radeau. François derrière la vitre manipule des boutons et brusquement ça y est...

La musique du générique m'éclate dans l'oreille.

L'énervé est parti et voilà Guy Ridert, l'idole des jeunes.

Connaissez pas Guy Ridert ? L'animateur plein de fougue, le présentateur dans le vent, bref, le gars qui s'installe à côté de moi, des papelards plein les mains.

Si je pouvais zyeuter les questions...

Ridert sourit, pose ses coudes sur la table, fait un geste du plat de la main, l'intensité du son baisse et il lance :

« Et voici " L'un contre l'autre ", une émission de Guy Ridert. »

124

Remusique.

J'ai les paumes moites.

Sainte Greta Garbo, protégez votre enfant !

Dans la joie et l'allégresse, le père Ridert reprend la parole sans virgules :

« Ils sont deux comme toujours et d'abord bien sûr, celui qui, celui que, celui-là qui, celui-là que, j'ai nommé M. Magnard. Vous êtes en forme monsieur Magnard, très bien monsieur Magnard c'est votre sixième semaine monsieur Magnard, j'ai bien dit six, trois fois deux et ce n'est peut-être pas fini, d'autres mordront la poussière devant le terrible M. Magnard. Mais qui avons-nous aujourd'hui face à M. Magnard eh bien, nous avons Daniel Michon, mais attention, et c'est là la surprise que je vous ai réservée, quel âge a Daniel Michon ? Il n'a pas trente ans, il n'a pas vingt ans, il n'a pas quinze ans, il a... Quel âge avez-vous, Daniel Michon ? »

Il a un moteur dans le bide, c'est pas possible.

« Onze ans. Bientôt douze. »

Grand éclat de rire de Guy Ridert. Je ne vois pas ce qu'il y a de drôle.

« Onze ans, a-t-il dit, eh bien, oui, c'est exact, Daniel Michon a onze ans et si l'émission n'avait pas eu lieu un mercredi après-midi, il n'aurait pas pu venir car il va à l'école. Vous travaillez bien à l'école, Daniel Michon ?

— Ça va. »

Merde alors, il ne va quand même pas me demander si je préfère ma maman à mon papa !

« Je suis sûr qu'en effet il travaille très bien, en tout cas, cela nous prouve que l'on peut être très jeune et connaître le cinéma, n'est-ce pas, Daniel ?

— Oui.

— On peut être un peu moins jeune et le connaître également, n'est-ce pas, M'sieur Magnard ?

— Exact.

— Alors, que le meilleur gagne. »

Ridert lance son bras droit index tendu vers la vitre,

s'arrête net de sourire et s'adosse contre le siège, l'air vanné.

« Sacrée chaleur », dit-il d'une voix normale, trois tons au-dessous de sa voix de radio.

Il bâille, me regarde d'un air mort, sifflote le *Chant du départ* et montre un voyant au-dessus de la porte.

« Une page de pub, dit-il, ça permet de respirer. »

Je voudrais bien respirer aussi, mais j'ai tendance à mélanger expiration et respiration depuis le départ.

Je voudrais en même temps que cette pub s'arrête et ne finisse pas...

Les essais ont été marrants, on était au moins douze avec des questions écrites, comme à l'école. C'était idiot, du genre : « Qui jouait Rhett Butler dans *Autant en emporte le vent* », des tests pour débiles. Le résultat, c'est que c'était tout de même moi le meilleur et que le Ridert en question me dit : « Mercredi prochain, vous serez le candidat qui affrontera M. Magn... »

Voyant rouge.

Ridert bondit sur la pointe des fesses, sourit comme à la télé et farfouille ses papiers.

« Attention, vous connaissez le principe, nous commençons par le candidat le plus ancien, c'est donc M. Magnard qui répond à cette première question : qui est le réalisateur de *General della Rovere* ? »

Fastoche : Roberto Rossellini.

« Roberto Rossellini », dit Magnard.

Il répond comme un robot, une vraie mécanique, on glisse la question dans la fente, la réponse sort par le trou prévu. Indéréglable.

« A vous, Daniel : qui jouait Hamlet dans...

— Laurence Olivier. »

Sifflement de Ridert.

« Bravo, Daniel, bravo ; passons à la question suivante, monsieur Magnard. »

Quatre questions d'affilée, deux chacune qui se succèdent, à chaque fois je parle dans leur vacherie de carotte-micro, la peur me quitte, la forme vient, ça roule, ça va aller, fastoche, fastoche...

« Daniel, qui était l'héroïne du film *Les Bas-fonds* de Duvivier ? »

Le trou.

C'est pas possible, je vois sa tête, avec des cheveux en auréole... Lauren qui écoute... Londet...

Ridert sourit, exaspérant.

« M. Magnard sait ? »

Magnard opine sentencieusement. Bien sûr qu'il sait. Il sait tout, je me bagarre contre un dictionnaire.

Ridert se retourne vers moi :

« Une réponse, Daniel, une seule, tu as trois secondes. »

Je ne vois absolument pas qui...

« Junie Astor », dis-je.

Bond de Ridert.

« Exact ! Il restait une demi-seconde. »

J'ai le cœur à trois mille tours, les voix se tamisent, je ne vais pas me trouver mal, j'émerge : cinq questions chacun encore, on repart dans la foulée, voilà la sixième.

« Monsieur Magnard, qui Marlon Brando protégeait-il dans *La Poursuite impitoyable* ? »

Silence.

La machine a un raté. Les rouages se bloquent. Magnard souffre et moi je serre les bras du fauteuil : je sais, mais je ne dois pas le penser trop fort de peur qu'il ne capte la réponse, on ne sait jamais, la télépathie... Tout ce cirque... je vais exploser.

« Quelques secondes encore, monsieur Magnard..., quelques petites secondes. »

Tic, tac, tic, tac...

Magnard hoche la tête, vaguement hébété.

« Dites-nous un nom, n'importe lequel, je ne puis vous aider... »

Grimace du pauvre vieux Magnard ; c'est atroce, ces jeux, c'est inhumain, on ne devrait pas.

« Non, je ne vois vraiment pas. »

Ridert me fait face, l'air tragique.

« Daniel Michon, vous avez entendu la question, qui Marlon Brando protégeait... »

Je m'élance contre la carotte et hurle :

« Robert Redford !

— Oui ! » s'exclame Ridert.

Bingo, Bingo et Bingo !

J'ai gagné.

Et deux allers pour Venise.

XXII

J'y suis venue, il y a quelques années..., quatre ou cinq..., j'étais petite.

La même impression que l'on doit éprouver à visiter une clinique sans malades... Des salles vides d'humains se succèdent et sans arrêt ce bruissement continue comme lorsque, sous l'eau, mes oreilles se bouchent... Peut-être sommes-nous sous la mer, qui le saurait ? Toute lumière est de néon et il règne une atmosphère tamisée de sous-marin de luxe, bathyscaphe de grand tourisme.

Dans ce palais marin, j'erre, déboussolée...

Quatre étages plus mystérieux les uns que les autres... Les rares humains glissent avec distinction. Je me demande où est le trône du prince.

« Mademoiselle !... »

Une hôtesse chocolat me fixe avec sévérité. Style scandinave ; je me demande si papa lui fait la cour.

Je souris.

« Excusez-moi, je cherchais le bureau de Steve King, je suis sa fille et... »

Elle devient rose et tendre comme une dragée au soleil de Palm Beach.

« Oh ! Miss Lauren, quelle joie... Votre père vous attend, en effet... Comme c'est gentil à vous de nous rendre visite... Pourquoi ne pas venir nous voir plus souvent... Asseyez-vous... »

J'enfonce dans les coussins de cuir violine. La firme a les moyens d'installer commodément ses clients. Pendant ce temps, l'hôtesse téléphone avec tant de véhémence que son chignon en tremble sur sa base. Il y a même des palmes entre les interphones.

Derrière elle, par les baies vitrées, on voit tourner les mémoires comme des magnétophones verticaux. Des bandes de papier se déploient, jonchées de chiffres, elles débordent parfois jusqu'à sur le parquet... La technique...

Des hommes dans la trentaine, chauves aux quatre cinquièmes et à la chemise blanche, errent par-ci par-là, tripotant des boutons.

« Votre papa est actuellement en conférence, il vous demande dix petites minutes ; cela vous ennuie de... »

Je balaie d'un geste. Pas du tout ennuyée... Cela me permet de tout mettre au point, de bien préparer depuis le départ.

Premier point : l'argent. Le nerf de la guerre. Sans lui, rien n'est possible. Bien sûr, il y aurait eu le stop et la manche devant les cafés, mais deux gosses de douze ans ont neuf chances sur dix de ne pas dépasser Fontainebleau et cent une sur cent de se faire escorter par deux gendarmes sur le chemin du retour. Donc de l'argent. Du blé, comme dit Dany.

Il y a déjà ce qu'il a gagné à la radio, mais cela ne suffit pas.

A moi de jouer à présent. C'est une vieille idée que j'avais depuis longtemps, mais je n'avais jusqu'à aujourd'hui pas eu besoin de la mettre à exécution, car les questions financières m'intéressaient assez peu ; mais tout a changé.

Voilà en gros en quoi cela consiste : gagner en quinze jours le maximum d'argent avec le minimum de mise.

Ça a l'air idiot, mais ça doit pouvoir se réaliser.

Mais, pour que cela marche, il me faut un ordinateur. Et pas un petit.

C'est pour cette raison que je suis en ce séjour et que j'attends Agamemnon.

Pourvu qu'il comprenne !

De toute façon, cela ne lui coûte tout de même pas grand-chose de me prêter un ordinateur pendant une demi-heure ; s'il m'explique en gros le fonctionnement, je me débrouillerai bien pour le programmer toute seule. Cela ne doit pas être sorcier et surtout si, comme je le crois, ça fonctionne en binaire, alors l'affaire est dans le sac car, sans aucune vanité, je puis affirmer qu'il n'y a pas beaucoup de choses que je ne puisse pas obtenir avec ce système.

En gros, voici quelle est mon idée. C'est une hypothèse de travail, bien sûr, mais, étant donné la matérialité des prémices, elle me paraît plus que vraisemblable. Donc, si l'on ouvre au même instant tous les journaux du monde à la page financière, on s'aperçoit qu'ils ont une partie commune chiffrée, que pour plus de commodité nous appellerons K et qui recouvre le marché intérieur, les marchés internationaux, la fluctuation des monnaies d'échange, les étalons, les parités fixes, les S.I.C.A.V., bref, tout l'aspect numéral qui possède la double propriété d'être à la fois périodiquement variable et stable cycliquement.

Je m'explique : il est mathématiquement évident qu'un ensemble mouvant comprenant des données variant les unes par rapport aux autres dans des limites restreintes autour d'une base fixe que nous nommerons P ne peut pas, après une période T plus ou moins longue, ne pas se répéter d'une façon si serrée qu'elle aboutit à une quasi-identité avec son modèle, ce qui nous donne :

$$P\left(\frac{K}{T}\right) - k^2 k'$$

Il en résulte que si je prends pour référence l'ensemble k d'il y a trois ans, je retrouverai dans la période qui va suivre un autre ensemble k' qui sera le décalque de k. Si entre k et k' il s'est écoulé un temps T égal à dix-huit mois, il me sera alors possible pour savoir quel sera le marché boursier et financier de demain de me reporter à celui qu'il fut il y a un an et demi.

Il s'agira alors simplement de moduler en fonction de changements politiques intervenus depuis cette époque, bref, de jouer avec les composantes non chiffrées mais dont je pourrai tout de même quantifier l'importance en précisant les valeurs exponentielles en utilisant à la rigueur une axiomatique expérimentale. Jeu d'enfant.

Donc, en ayant une mise donnée, c'est-à-dire en cassant ma tirelire, soit soixante-quinze francs et quelques poussières, si j'applique mon système, je peux en un espace restreint et en utilisant les différents marchés multiplier ma mise par quatre-vingt-quinze à cent cinq en m'autorisant une fourchette d'erreur de 1,5 à 1,8, ce qui est négligeable à l'échelle des sommes utilisées. En conclusion, si tout marche bien, nous devons avoir à la fin du mois, Dany boy et moi, la coquette somme de dix mille francs.

Le million.

Bruit de cigale timide : chocolat décroche le combiné.

Son visage se fond. Ma parole, cette jeune personne est amoureuse de Steve King, mon père bien-aimé !

« Votre père vous attend, mademoiselle King. »

Echange de gracieux sourires.

Et la princesse entra dans le temple inviolé.

Portes matelassées, bois de placage.

Sanctuaire.

Il disparaît derrière son bureau, le petit P.D.G. à sa fifille.

« Hello ! daddy.

— Hello ! Lauren. »

Maintenant que nous nous sommes tout dit, je n'ai plus qu'à lui demander ce pour quoi je suis venue, mais il faut tout de même respecter un peu l'étiquette.

« Beau bureau, dis-je..., je ne me souvenais pas que ce fût si grand. »

Il rit, flatté.

Je m'approche. Près du sous-main il y a un cadre que je retourne : c'est Kay et moi il y a quatre ans à Pasadena pendant les vacances. J'avais mon appareil pour redresser les dents.

« Tu vois, dit-il, tu es là aussi. »

Je le regarde et j'ai stupidement une envie de larmes, agaçante et tendre. Je pense qu'il m'aime bien et que ça ne doit pas être facile, car je ne lui ai jamais tellement facilité le travail et que le genre petit bras autour du cou n'a jamais été tellement ma spécialité. Qui est-il, cet homme coincé entre Kay la super-star et moi la grosse tête ? Se peut-il que je ne le connaisse pas ?

Il s'est levé, gêné peut-être de se trouver si solennel sur son fauteuil pivotant, et vient s'installer près de moi.

« Papa, est-ce que cela t'ennuie d'avoir un petit génie comme fille ? »

Il sursaute et m'observe, déjà un peu égaré.

« Ne te vante pas », dit-il.

Il s'arrête, réfléchit dix secondes et ajoute :

« Si, avoue-t-il, parfois ça me fait un peu drôle, mais...

— Mais quoi ?

— Je préfère ça à une retardée, c'est plus flatteur. »

Nous rions ensemble. Nous nous aimons beaucoup

tous les deux en cet instant, ça va lui faire de la peine que je parte pour Venise, mais il le faut.

« Papa ?

— Oui, Lauren ?...

— Prête-moi un ordinateur. »

Et voilà : sa tête de lapin le jour de l'ouverture de la chasse. Comment un être semblable peut-il diriger tant de personnes ?

Il avale sa salive.

« Quel genre d'ordinateur, chérie ?

— Un solide, dis-je. Je suppose que tu travailles avec une génération qui a dépassé le stade de réponse de la nano-seconde. »

Il se lève, siffle les quatre premières notes de *My darling Clementine*, va se rasseoir sur son siège d'Imperator et demande négligemment :

« Le stade de réponse de la quoi ?

— De la nano-seconde, dis-je, c'est la quatre-vingt-dix millième partie d'une seconde. Tous les ordinateurs modernes ont largement atteint cette vitesse. »

Il tousse légèrement, croise les doigts sur son léger début de ventre (et dire qu'il a à peine quarante ans !) et entame son discours.

« Ma chère Lauren, comme tu le sais certainement, je dirige une filiale américaine spécialisée dans la télécommunication, en effet ladite filiale utilise bien des ordinateurs, mais cela simplement pour les habituels services de comptabilité et occasionnellement pour certains travaux de gestion, mais, personnellement, je ne sais absolument pas comment ces nom de Dieu de trucs à la noix peuvent fonctionner ni s'ils font du cinquante à l'heure ou du six cents à la nona-seconde.

— Nano, dis-je, et ce n'est pas la peine d'être grossier.

— Je ne suis pas grossier ! Qu'est-ce que tu vas fabriquer avec un ordinateur ? Normalement tu devrais venir ici pour me demander de l'argent pour t'acheter des glaces ou une poupée.

— L'un n'empêche pas l'autre, tous les dons sont acceptés, de quelque importance qu'ils soient. »

Il pousse un soupir d'agonie, me tend dix francs et expire.

« Qu'est-ce que tu veux faire d'un ordinateur ?

— Jouer à la bourse, dis-je, spéculer un peu. »

Il semble avoir atteint les limites extrêmes de la dépression. Il appuie de l'index sur un bouton bleu encastré dans l'acier inoxydable.

« Je vais te donner Martin, dit-il ; il ne desserre jamais les dents, mais c'est le meilleur programmeur de la maison. Débrouille-toi avec lui. Fais attention, il est sujet à la migraine, alors je t'en prie : pas trop de questions. »

J'escalade le bureau et l'embrasse sur la joue gauche.

« Merci, papa.

— Je te préviens, si un client demande l'utilisation de l'appareil, je te laisse tomber. »

Je suis déjà sortie du bureau.

Martin fait un mètre cinquante et est, en effet, exceptionnellement taciturne. Je me débrouille tout de même pour qu'il me dise dix minutes après notre rencontre qu'il s'est marié deux fois, a quatre enfants dont un de son premier mariage, qu'il n'a pas fini de payer son appartement de La Celle-Saint Cloud, qu'il aime les voyages, la peinture hollandaise et qu'il craint le chômage par-dessus tout, sa femme Christine étant d'une santé particulièrement délicate.

Je lui explique alors par le détail ce que je voudrais faire.

Il m'observe tandis que je parle, pousse un grognement, essaie trois fois d'allumer deux cigarettes différentes avec cinq allumettes dont quatre ont déjà servi et conclut :

« Marrant. »

Temps de silence.

« Ça vous paraît idiot ? » dis-je.

Il se gratte le front, me soupèse du regard, résiste

visiblement à la tentation violente de se fourrer l'index dans le nez et finit par dire :

« Cela vous ennuierait si je mettais un peu d'argent dans l'aventure ?

— Ce n'était pas prévu », dis-je.

Il marque le coup.

« D'accord, dit-il, je vous refile dix pour cent de mes bénéfices. C'est correct ?

— Allez jusqu'à quinze et on fait chacun une affaire. »

Soupir renforcé de Martin.

« D'accord, mais il y a un sacré travail de traitement.

— On n'a rien sans mal », dis-je.

Tout de suite après, je me suis installée au pupitre. C'était bien axé sur le principe binaire. Une petite merveille de mécanique.

J'y suis allée tous les soirs après l'école, pendant dix jours.

Finalement, je crois que l'hypothèse de départ n'était pas formidable d'une façon aussi déterminée et les impondérables économiques ont introduit des distorsions qui ont faussé pas mal de résultats, surtout en ce qui concernait le De Beers, le Rio Tinto et toutes les monnaies trop liées au dollar. J'ai eu aussi des problèmes avec le cours de l'escudo. Le florin n'a pas été très obéissant non plus.

Je dois donc reconnaître que je me suis trompée dans mes comptes.

J'espérais sept mille cinq cents francs, je n'en ai touché que six mille trois cents.

Comme dit Martin, avec soixante-quinze francs de mise de fonds, c'est quand même une opération rentable.

Sacré Martin ! Les derniers jours, il était intarissable, mais il ne me servait plus à grand-chose, parce qu'après tout, si vous voulez mon avis, les ordinateurs, c'est très surfait.

XXIII

« La sécheresse de l'été va à présent avoir des réper-
cussions économiques sur le panier de la ménagère :
les légumes en général, les fruits et la viande vont
augmenter ; quant au pain, il est possible que... »

Ricanement de Marcel Michon qui ne quitte pas
l'écran des yeux.

« Et les intermédiaires, mon petit pote, tu n'en
parles pas, des intermédiaires ? C'est pas le genre de
choses dont t'aimes causer, hein, Toto ? T'es bien à la
solde du gouvernement, hein ?

« ... recule encore devant un blocage des prix et des
salaires qui serait vu d'un très mauvais œil par... »

Esclaffement prolongé de Marcel qui s'apprête à
entamer la polémique. La feuille que je lui ai remise
est toujours entre ses doigts. Il n'a pas encore jeté un
œil dessus, trop pris par son sujet.

« Papa, tu voudrais pas la lire, parce que... »

Mon cœur bat à nouveau, l'amour vous fait vraiment devenir cardiaque, je ne supporterai pas longtemps ce régime.

« Mets la télé moins fort, Marcel ! »

C'est Françoise qui crie de la cuisine ; pour nous
frites et bifteck, pour elle carottes Vichy, because les
intestins.

Marcel grommelle, fronce les sourcils, lit les deux
premières lignes et lève les sourcils.

« Une excursion au Mont-Saint-Michel ? Trois
jours ? Non mais, hé ! ça va pas ? »

J'ai prévu le coup, c'est là que je dois rester calme,
impassible.

« Ce n'est pas une excursion, c'est... »

Marcel se renverse.

« Ça, dit-il, ça, ça m'étonne pas du tout : c'est bien
les profs d'aujourd'hui, je comprends parfaitement la
combine, on se donne plus le mal d'apprendre, on sait
plus tenir sa classe, alors un mois avant les vacances,

allez hop, une petite balade en car à la mer, le temps passe plus vite.

— Mais, dis-je, c'est pas du tout ça, c'est... »

Geste du père.

« Vous avez fini vos programmes ?

— Pratiquement,

— Ça veut dire quoi, pratiquement ?

— Ça veut dire oui ! Mais lis la page en entier, tu verras que... »

Grommellements confus.

« Je verrai quoi ?... »

Il parcourt et lit à haute voix :

« *En plus de l'étude historique de la région, les élèves visiteront plusieurs usines sous la direction de personnel qualifié et devront remettre un travail...* »

Il sort son paquet de Gitanes maïs, s'en colle une au coin de la lèvre et allume avec son briquet des années 50.

« Ça, c'est pas mal, remarque-t-il, vous n'allez pas rigoler beaucoup pendant votre excursion. »

Je hausse une épaule. Il faut travailler en finesse, beaucoup de doigté s'impose, de la haute voltige diplomatique.

« On est prévenus, dis-je, c'est le prof de science qui organise ça, une dingue du boulot... »

Attention, il faut frapper un grand coup, mais pas trop fort.

« Personnellement, si je n'y allais pas, je pleurerais pas. »

Il me fixe, roublard. Il sent en moi le type qui veut se défiler, couper à la corvée pendant que marnent les copains.

« Et qu'est-ce que tu ferais si tu n'y allais pas ? »

J'introduis dans mon expression une lueur d'espoir.

« Rien, dis-je, j'irais en étude, peinard. »

Léger sifflotement du père qui devient invisible peu à peu derrière ses bouffées âcres de tabac brun.

« Tu pourrais lire des illustrés, par exemple ? suggère-t-il, mielleux.

— Par exemple... »

Il claque sa main sur le papier.

« Et voilà à quoi tu rêves : tu lis *Astérix* pendant que tes copains seront à l'usine ! Eh bien, mon petit bonhomme, tu peux rayer ça de tes papiers. »

Bingo.

Pas le temps de me frotter les mains. Marcel se déchaîne :

« Et ça, ça va te faire du bien de savoir ce que c'est qu'une usine, tu vas voir également ce que c'est que le boulot, mon petit père, c'est pas du gâteau, tu peux me faire confiance... »

Je lui fais tout à fait confiance, mais ce que je voudrais, c'est qu'il signe. En tout cas, mon idée de visite d'usine, c'était du génie pur. La marque du cerveau.

« Au fait, dit-il, qu'est-ce qu'il y a comme usine au Mont-Saint-Michel ? Je croyais que c'était plutôt sablonneux, comme région.

— Textile, dis-je. Textile et métallurgie. »

C'est là qu'il faut avoir des réflexes, pire que Lancaster quand il dégaine.

Il lit toujours et hoche la tête.

« Douze mille balles tout compris ? C'est pas trop cher... »

Je l'écoute plus distraitement, le tour est joué à présent, il est d'accord. Et je m'aperçois même d'une chose, c'est que j'ai toujours su qu'il le serait et que j'ai un peu honte parce que c'était trop facile : il râle, il me gronde, il n'est pas drôle, Marcel, mais c'est vrai qu'il m'aime bien, je crois... Je l'ai presque toujours vu là, à cet endroit, devant son poste de télé avec le pavillon autour de lui, tout bien organisé... Chez Lauren tout est, bien sûr, cent fois plus précieux — par exemple, dans la grande salle, il y a un bouddha. Ça se fait beaucoup chez les Américains, les bouddhas, c'est une sculpture vraiment ancienne et qui vaut cher, eh bien, il est par terre, comme ça, dans un coin, négligemment, on peut poser son chapeau dessus si on veut, tandis que chez nous on a des espèces de photos colorées qui représentent Rocamadour ou Montargis, des choses absolument pas précieuses, eh bien, aussitôt on met ça sous verre, tout juste si on n'installe pas une corde autour, comme dans les musées, pour qu'on ne puisse pas s'approcher... C'est affreux, notre système. Non seulement on n'a pas beaucoup de place, mais en plus c'est plein de petits coins interdits parce qu'il y a des tablettes à napperons, des petits meubles minables. Leur chambre, c'est terrible, c'est tellement bien rangé que je me demande toujours s'ils osent défaire le couvre-lit pour dormir. C'est simple : quand on voit leur plumard acajou plastifié, on comprend qu'elle ait mal aux intestins et que papa soit si peu drôle... C'est la maison la colique, au fond, et c'est peut-être aussi pour cela que je vais partir. Lauren et moi, nous ne vivrons jamais dans un trou pareil, jamais nous ne serons Marcel et Françoise.

« T'es d'accord, maman ? » demande Marcel.

Françoise arrive avec les frites. Supercuites, comme d'habitude ; elle ne saura jamais les faire.

« D'accord pour quoi ?

— Pour les usines du Mont-Saint-Michel, ils vont les étudier trois jours. Douze mille francs, c'est pas donné, mais c'est correct.

— Moi, je suis de votre avis », dit-elle.

Et voilà, je savais que je n'avais rien à craindre de son côté.

Marcel emplit sa bouche de frites, se penche et monte le son de la télé.

« Les hôteliers constatent déjà que les locations pour le mois de juillet ne sont pas aussi demandées que l'année dernière à cette même époque et que... »

« C'est ça, murmure Marcel, vas-y, défends le petit commerce, c'est bien ton rôle... »

La soirée continue.

Je suis allé me coucher assez tôt et j'ai fait le bilan : l'argent, l'autorisation, tout y était. Pas besoin de passeport pour l'Italie, la carte d'identité suffit et j'en ai une, Lauren aussi. Venise est à nous... Lagune... Pont des Soupirs... Rialto et elle contre moi durant toutes ces heures... Lauren et moi au cœur des merveilles...

Bingo.

Je dors.

Je la vois demain. Six heures à Saint-Lazare. Jour J — 4. Quatre jours encore et *arrivederci*.

Je dors vraiment.

XXIV

Plus que trois jours.

Dans trois jours, cher seigneur, Lauren est à vos pieds,
Désertant son esquif par les vents apporté.

Kay a signé l'autorisation sans même la lire ; il faut dire qu'elle essayait un nouveau masque de beauté à base de mousse de concombre et qu'elle aurait eu du mal à ouvrir les yeux, on l'aurait dite recouverte de ce qui sort d'un extincteur d'incendie.

Vivre avec lui, enfin... Ces rendez-vous à la sauvette dans cette gare tumultueuse me devenaient de plus en plus insoutenables. Dans trois jours, nous serons deux, à jamais deux sur les ors de l'Adriatique...

Splendeur des palais, orgies de rêves et de couleurs.

Le voici. Quelque chose ne va pas ?

« Tu n'as pas eu ton autorisation ?

— Non, ce n'est pas ça, c'est ce matin. »

Ma gorge est sèche soudain ; avoir tout prévu, tout réglé, et brusquement...

« Qu'y a-t-il, Daniel, explique-toi...

— C'est pour passer la frontière...

— Oui, eh bien ? »

Il donne un coup de tête comme un taureau furieux.

« Les enfants doivent avoir l'autorisation des parents ou être accompagnés.

— Merde ! » dis-je.

C'est rare que cela m'échappe, mais en l'occurrence cela m'a échappé.

« Tu es sûr ?

— Certain. Ça me trottait dans la tête depuis quelques jours et j'ai demandé ce matin à un des profs, comme ça, mine de rien...

— Il faut réfléchir vite et bien. »

Nous gagnons le centre de la salle des pas perdus. Sous l'horloge. C'est finalement le coin le plus tranquille. Le soleil illumine la verrière, il fait chaud, la foule est dense.

« Réfléchissons, dis-je : demander aux parents l'autorisation de se rendre en Italie, je crois que ce n'est pas la peine d'essayer.

— Non, dit Daniel, je ne crois pas Marcel très fort en géographie, mais je crois qu'il sait que le Mont-Saint-Michel n'est pas de l'autre côté des Alpes.

— Bien, dis-je. Donc, il reste deux solutions : ou quelqu'un nous accompagne, ou on passe en douce. »

Daniel serre les lèvres.

« Dangereux, dit-il, il faudrait connaître le tracé de la frontière, avoir une carte détaillée et l'emplacement exact des postes, ça ne peut pas se préparer en trois jours. Et puis...

— Et puis quoi ?

— Il faudrait peut-être marcher longtemps, dans la montagne, dans le froid et...

— ... et avec une fille ce n'est pas commode, c'est ce que tu veux dire ? »

Il a l'air embarrassé.

« C'est un peu ça. »

Soupirs conjugués.

« Je veux aller à Venise, j'irai, je le veux, je ne

sacrifierai pas ce voyage, il y a toujours une solution, il suffit de se concentrer et... »

Je n'ai pas dit Eurêka.

Venise est là, soudain, dans ses ors et ses pourpres.

« J'ai trouvé ! »

Escaliers de métro dégringolés en cataracte. Daniel s'époumone derrière moi.

« Mais explique-toi, bon Dieu, explique-toi... »

Arrivée d'une rame, nous zigzaguons à contre-courant. L'heure convient, il suffit de ne pas traîner. Je me retourne tout en dévalant des marches.

« On descend à Concorde, dépêche-toi... »

Les portes crissent, dernier sprint, hop ! ça démarre, mais on est dedans.

Plaqué contre moi, le prince Daniel n'a pas l'air aimable.

« Tu vas m'expliquer pourquoi on court ? »

Je souris, c'est l'heure triomphale et il est difficile d'y résister.

« Le problème est réglé, dis-je. Nous partons à Venise comme prévu.

— Tu as un ami contrebandier ?

— Non, on part en train, mais on sera trois. »

Daniel ouvre la bouche et cherche l'air.

« Qui sera le troisième ?

— Notre accompagnateur, dis-je, celui qui va nous permettre de passer la frontière sans encombre. »

De plus en plus suffoqué, le cher ange.

« Et qui c'est, notre accompagnateur ? »

Je savoure ces secondes qui séparent sa question de ma réponse ; il serait bon de les faire traîner encore, mais les anciens nous apprennent à savoir mettre au rencart les sentiments de vaine gloire, oripeaux de la vanité.

J'écarte les bras christiquement.

« Tu veux savoir le nom de la personne répondant de nous ? »

Il y a un danger réel d'explosion, mais il sait se contenir.

142

« Exactement, si ce n'est pas trop demander. »
Je souris, archangéliquement.
« Julius », dis-je.
Il chancelle.
« Julius ?
— Lui-même : Edmond-Julius Santorin. Le plus extraordinaire grand-père de l'univers. Avec ou sans autorisation parentale, nous passerons si nous sommes avec lui. »

C'est drôle, il est des êtres dont le destin ou le rôle est de ne jamais décevoir ; ils sont peu nombreux, mais c'est une bénédiction que de les connaître, car ils permettent aux projets que vous avez faits et où ils se trouvent inclus de toujours réussir. Je vivrais quelques millions d'années que je n'oublierais pas cette seconde où nous avons poussé la lourde porte à tambour du café somptueux. Il fut la première personne que je vis, sa tête blanche reflétée dans l'enfilade des glaces. Il n'avait pas bougé depuis la dernière fois, peut-être y avait-il quelques taches de chocolat de plus sur la lourde lavallière.

A notre vue, ses yeux s'emplirent de larmes et toute la bonté et la nostalgie de l'univers nagèrent dans ses pupilles d'azur.

Il n'arrêtait pas de nous serrer les mains : « Vous vous souveniez donc du vieux Julius, vous vouliez connaître la suite de ses histoires ? Vous ai-je dit le jour où à Samarcande je me portai acheteur d'une caravane de thé riche de quatre chamelles et de douze mulets d'Ouzbékistan ?... »

Daniel m'avait expliqué tous les mensonges du vieux retraité, je l'interrompis net :

« Vous voudriez partir pour Venise dans trois jours ? »

Il s'arrêta pile et fit le voyage retour de Samarcande en un temps record.

« Venise, dit-il, j'y fus vice-consul en 1939, avant la déclaration de guerre ; j'y ai vécu quelques mois merveilleux avec ma seconde femme dans un palais décoré de fresques du Tiepolo ; l'attaché d'ambassade allemand me fit dire...

— Ça vous plairait de partir avec nous, coupa Daniel, partir en vrai, avec une valise, on prend le train gare de Lyon et au matin on est en gondole, ça vous plairait, m'sieur Julius ? »

Ce n'est peut-être qu'à ce moment-là qu'il a vraiment compris que c'était sérieux, que l'on ne se moquait pas de lui, que nous avions vraiment envie de l'emmener ?

« A Venise ? Pour de vrai ? »

Il avait tellement fait de voyages imaginaires qu'il était arrivé au point où toute forme de déplacement réel lui semblait illusoire.

« Oui, dis-je, à Venise, avec nous, nous partons quelques jours et nous voudrions quelqu'un pour nous accompagner... Nous avons de l'argent... »

C'était vrai, j'avais calculé que c'était possible, et puis on se débrouillerait...

« Dites oui, m'sieur Julius, ça va vous faire du bien de revoir tout ça. »

Il était un peu sonné, comme un boxeur, il pétrissait la nappe, froissait la broderie...

« Venise...

— Oui, dis-je, Venise... Venez, on a besoin de vous... »

Je lui ai pris la main, il avait l'air totalement égaré.

« Vous nous aiderez, a ajouté Daniel, vous avez tellement voyagé... »

Il a eu un sursaut, c'est peut-être cela qui l'a décidé, il nous a regardés et il a tremblé un peu avant de sourire, un vieux sourire tout neuf comme ceux des pères Noël dans les albums d'enfants.

« D'accord, a-t-il dit, nous partons pour l'Italie. »

On a trinqué en heurtant nos tasses de porcelaine.

Avec le vieux Julius nous appareillerons
Dans les vents alizés vers Venise et ses ponts.

144

Baiser sauvage de Daniel, rendez-vous prochain : gare de Lyon, dix-huit heures trente, sous le panneau d'affichage des lignes internationales.

Kay me trouve énervée pendant le repas du soir. Je déteste le poulet en salade, je rêve d'amours folles et de spaghetti bolognese.

Venise... Deux jours.

XXV

Et tous les pigeons s'envolent d'un coup.

Un claquement terrible, comme un drapeau vivant qui recouvre la place.

Les cloches du campanile sonnent à la volée.

Julius rit, le visage vers le ciel. Lauren se penche vers moi.

« Qu'est-ce que tu dis ? »

Elle colle sa bouche à mon oreille et son souffle me chatouille.

« Midi ! »

Midi, Piazza San Marco.

Les terrasses débordent sur les dalles, le soleil est vertical, l'ombre ne dort que sous les arcades ; devant, la mer miroite et une île au-delà tremble, les pieds noyés dans l'eau.

Julius pointe son index.

« Santa Maria Maggiore, dit-il, les doges y faisaient baptiser leurs enfants mâles, les filles n'avaient droit qu'à la cathédrale. »

Cela le fait rire aux éclats. Il faut dire que depuis la gare de Lyon il n'arrête pas de jubiler. Lauren rit de le voir. Il est superbe, l'image du bonheur, mais le plus formidable, c'est quand même de se demander où il a pu dégotter un costume de golf pareil avec des chaussettes vertes à losanges et une casquette du Front populaire. On dirait Gabin dans *Le Jour se lève*.

Radieux, il brandit sa casquette et ses cheveux s'ébouriffent.

« Les cloches, clame-t-il, les cloches de Venise. »

Les pigeons tournoient toujours au-dessus de nous ; le front levé pour les suivre, des touristes, parmi lesquels beaucoup de Japonais, passent, bardés de caméras.

« Qu'est-ce que vous buvez ? demande Lauren ; il faut arroser l'arrivée. »

Julius se tourne, impérial, vers le garçon à l'allure maffioso qui attend soupçonneux comme si on allait lui lancer des grenades incendiaires.

« Marsala, dit-il, Marsala al uovo et due menthe à l'eau per i bambini. »

J'en reste suffoqué.

« Mais vous jactez l'italien, m'sieur Julius. »

Grand geste large.

« Les voyages, dit-il ; les langues, je n'en sais aucune, mais un peu de chaque... »

Lauren me regarde, ses yeux sont plus verts encore qu'autrefois ; si je m'approche, je vois plein de palais dedans, ensoleillés, les chaises jaunes et les canaux.

« Tu as des gondoles dans les yeux », dis-je.

Elle fait son geste, toujours le même quand elle est flattée.

« C'est beau ?

— Super. »

Revoilà le maffioso. Il pose les verres comme s'ils étaient pleins de nitroglycérine et part courbé pour éviter les coups de revolver.

Nous levons nos verres.

Tout Venise baigne soudain dans le vert sucré.

« A notre voyage, mes enfants, clame Julius, à votre jeunesse ! »

Lauren m'envoie une bise mimée avec la bouche.

Je bois. Les glaçons tintent.

On ne peut pas rêver mieux. Voilà, on y est à

présent, en plein dedans, on l'a tant voulu que j'avais un peu peur que ce ne soit pas si bien qu'on l'avait imaginé, mais non, ici c'est le contraire de La Garenne, c'est beau partout, il n'y a pas un coin de laidcur. Ça a débuté dès la gare.

En général, les gares c'est moche, à Paris par exemple, que ce soit Saint-Lazare ou Montparnasse ou n'importe quoi ; quand on sort, c'est toujours triste, c'est pas la belle entrée ; ici, on a donné nos billets au contrôleur, on a fait deux pas et les valises nous sont tombées des mains.

On y était en plein : dans le marbre, le soleil, les rues dorées et les bateaux tout gais qui voguaient sur les canaux. C'est une ville qui ne perd pas de temps à être belle, dès le début elle démarre fort...

De l'hôtel c'est formidable, par la fenêtre les toits s'étendent, roses, et vers l'ouest ce sont les îles comme des cailloux sur la mer.

Les cloches se sont tues, les oiseaux redescendent.

« Ne te retourne pas, dit Lauren, voilà les Bridoux. »

Je risque un œil quand même : pas l'ombre d'un doute, ça ne peut être personne d'autre. Ils nous ont vus et s'approchent. Julius fait bonjour-bonjour avec la main et Bridoux s'effondre à côté de nous.

« Vous avez trouvé un restaurant ? » demande-t-il.

Il a, en commençant par le haut, une casquette à visière verte, un maillot de corps à trous comme un filet de pêcheur, un short jusqu'aux rotules et des baskets à lacets rouges. Il doit avoir à peu près ma taille, mon poids, une moustache d'instituteur et une femme très laide en robe à fleurs et sac à main cadenassé. Ils sont descendus dans le même hôtel et son cerveau m'a paru fonctionner à partir de deux idées fixes : la première, c'est la recherche du restaurant idéal, succulent et bon marché ; la deuxième, c'est une méfiance absolue envers les Italiens qui sont des voleurs, des arnaqueurs, des escrocs, des renégats et qui n'hésiteraient pas à vous noyer dans la lagune pour vous piquer votre Instamatic.

Julius, grand seigneur, semble leur en imposer ; il écoute le père Bridoux qui serre ses joues minuscules à la limite de l'apoplexie et montre l'ongle de son pouce.

« Je n'exagère pas, dit-il, comme ça le bifteck, même pas. Et quatorze frites autour. Qu'on ne vienne pas me dire le contraire, je les ai comptées ; hein, Marguerite, je les ai comptées, combien j'en avais dans l'assiette ?

— Quatorze », dit Marguerite, son sac serré contre elle.

Bridoux a un hoquet de satisfaction.

« Vous voyez que je n'exagère pas, et toi, combien tu en avais ?

— Dix-sept », dit Marguerite.

Bridoux reste un instant frappé par l'injustice du sort et constate :

« Tu étais mieux servie, mais avouez que dix-sept frites, c'est tout de même peu.

— Et comme entrée ? » demande Julius, qui s'intéresse.

Bridoux décolle du siège, retombe, rebondit, se frappe sur les cuisses et s'esclaffe :

« L'entrée, dit-il, ça, c'est autre chose, l'entrée, il faut l'avoir vécue pour l'apprécier : du melon, mon cher monsieur, mais attention, la feuille à cigarette, moins épais qu'une tranche de jambon. Combien on a calculé qu'ils servaient de clients avec un melon entier, Marguerite ? »

Marguerite se cramponne à son sac.

« Dix-huit, dit-elle.

— Vingt-trois, dit-il. Mais le plus beau, c'était le dessert.

— Ah ! ah ! dit Julius, racontez-moi cela. »

Cri de rage étranglé de Bridoux.

« Un petit-beurre, siffle-t-il, un petit-beurre dans une soucoupe ; j'exagère, Marguerite ?

— Non, dit Marguerite.

— Et attendez le meilleur, vous savez combien on a payé pour ça ?

— Non », dit Julius.

Halètement bref de Bridoux qui se soulève sur son siège, retombe et râle :

« Quatre cent vingt-cinq lires, service non compris. En France, monsieur, j'aurais appelé la police. »

Lauren se lève.

« On part se promener, grand-père ? »

C'est entendu entre nous : en public, nous l'appelons grand-père, cela simplifie tout, ça paraît plus normal.

« Allez, mes petits, dit Julius, et soyez sages. »

Nous courons vers le fond de la place tandis que Julius commence à raconter aux Bridoux exorbités qu'il vient de s'enfiler deux langoustes flambées à l'armagnac, arrosées de Valpolicella, pour moins de cinquante lires. Cet homme est le plus joyeux menteur de l'univers.

Plongeons dans l'ombre froide après les chaleurs de Saint-Marc ; ici, les ruelles sont fraîches et les sandales de Lauren claquent sur les escaliers.

« J'adore Bridoux, dit-elle, ça fait vingt ans qu'il voulait voir Venise et depuis qu'il y est il ne décolère pas. Tu as faim ?

— On va voir la ville d'abord. »

Ça s'enchevêtre, Venise, c'est un méli-mélo de ponts minuscules, de quais. On a tout aimé, même l'odeur de vieille mer clapotante au bas des murs. Il y avait des canaux étroits, le linge séchait aux fenêtres dans le soleil jaune qui filtrait à peine entre les toits, en bas c'était humide et nous avons trouvé des milliers de fontaines, des puits avec des margelles sculptées, tout antique et superbe, et il y a eu une place avec une église où on est entrés parce qu'on recherchait l'ombre et que lorsqu'on visite l'Italie, y a pas à dire, faut donner un peu dans la religion.

Bizarre, ces endroits-là ; c'est peut-être parce que je

n'en ai pas l'habitude, mais ça me fait toujours un effet étrange. C'est comme un autre monde, attirant parce que calme.

Il n'y avait pratiquement personne ; de temps en temps, une ombre glissait entre les prie-Dieu, on entendait des bruits de portes qui se répercutaient sous les voûtes. On ose à peine marcher dans ce genre d'édifice. Il y avait plein de tableaux aux murs des chapelles, mais c'était tellement sombre qu'ils avaient tous l'air recouverts de goudron. Des cierges brûlaient dans des cercles jaunes et dans l'ombre, parfois, une lampe rouge minuscule se balançait un peu.

Ce qui nous a surpris aussi, c'est de nous retrouver seuls. Depuis l'arrivée ici, ça ne nous était plus arrivé ; il y a toujours du monde partout à Venise, et tout à coup la paix, l'ombre, la solitude et les fresques, l'odeur de musée...

Personnellement, je ne suis pas croyant, ces endroits m'impressionnent, mais enfin pas à l'extrême, ce qui fait que lorsqu'on s'est retrouvés derrière un pilier, tout à fait derrière, on s'est roulé une galoche démente parce que ça faisait un sacré bout de temps qu'on en avait envie et pas l'occasion. On a même eu droit aux grandes orgues, et c'est à ce moment-là qu'elle a dit :

« On va jouer aux mariés, comme les gosses. »

On est partis du fond, en se donnant le bras, et on a pris l'allée centrale en souriant tout autour dans le vide, en faisant des petits gestes de la main. Tous mes copains étaient venus de Paris et des U.S.A. pour me souhaiter la bonne chance : Humphrey avec son imper, Londet, Robert Redford, Nathalie qui les dépassait d'une tête, Fred Astaire et Ginger Rogers, même Françoise avec ses gargouillis qui se mouchait dans des kleenex, Marcel et sa télé ; bref, ça a été une belle cérémonie, et l'organiste qui s'entraînait, il avait l'air d'y tâter un peu, il nous a lâché une avalanche de notes par tombereaux entiers, comme à la Scala de Milan.

Après, on s'est assis au premier rang et on a regardé un petit vieux en noir qui bricolait devant l'autel, faisant les cuivres, vidant les vases, etc.

« Tu y crois, toi, à tout ça ? » m'a demandé Lauren.

Je lui ai expliqué, que, politiquement, l'utilisation de la religion, accaparée par la bourgeoisie en vue d'une exploitation accrue du prolétariat, me paraissait être une des grandes tares de l'humanité, mais qu'en ce qui concernait l'existence même de Dieu, je balançais entre un athéisme tempéré et un refus catégorique des pratiques ignorantistes.

« Je te comprends, a-t-elle répondu rêveusement ; personnellement, le dieu de Heidegger me paraît plus proche de ma conception que celui de Descartes, abstraction quasi pure. »

Nous avons continué un moment à échanger des propos de notre âge et, soudain, je me suis écroulé, le visage tordu de douleur.

« On m'a tiré dessus, là-bas, le type derrière la chaire. »

Elle a sauté sur ses pieds.

« Ciel ! Mon premier mari ! »

On a foncé sur le bas-côté et bondi derrière une colonne. Malgré la souffrance, j'ai dégainé mon onze millimètres. C'était autre chose que dans les films.

« Tu saignes, Humphrey, a dit Lauren, je vais téléphoner au Vatican. »

Appuyé contre la pierre froide, j'ai renversé mon visage livide vers les vitraux.

« Inutile, ai-je murmuré, je serai bientôt à la gauche du Seigneur. »

Elle s'est jetée sur moi comme Lana Turner dans *Une larme pour un privé*.

« Ne meurs pas, *old man*, a-t-elle chialé, on a encore du bon temps devant nous. »

La mort m'est grimpée au ventre, ma voix est devenue inaudible et mes doigts ont laissé échapper le colt soudain trop lourd.

« Trop tard, baby, sois heureuse sans moi. »

Et crac, j'ai mouru d'un coup, superbement.

Après ça, on a refait encore une petite balade jusqu'au transept et on est ressortis et dehors c'était justement l'heure où il fallait ressortir.

Bingo.

Rouge partout. Le soleil se couche vite ici, il fonce à travers un édredon écarlate et tout brumeux ; quand on s'est regardés, on était de vrais Indiens, peints au minium comme les murs.

Les gens savent que c'est la belle heure, ils sortent tous. Dans une barque en contrebas, on a acheté du raisin dans du papier journal, deux grappes de muscat avec des grains comme des prunes, une vraie merveille, mon cœur éclatait, et on a débouché sur le Rialto. C'était noir de monde, les eaux grouillaient de gondoles et des oriflammes pendaient, pleines de sang et d'or.

Elle m'a serré la main et m'a montré quelque chose au bout du pont : c'était Julius sur l'autre rive. Il avait desserré un peu sa cravate et par tous les pores de sa peau, par toute sa face ouverte et tendre, le vieux bonhomme respirait Venise, s'imprégnant des palais et de ce monde magique où il se trouvait tout à coup parachuté.

Alors j'ai pensé à cet instant en regardant Julius, en regardant Lauren rire de joie, que, quelle que soit la façon dont tout cela pouvait tourner, jamais je n'aurai un milligramme de regret d'avoir tenté l'aventure.

XXVI

Nous prendrons le dernier bateau.

Mille ans déjà que nous voguons au sein des eaux éternelles et croupies.

Racine aurait dû vivre ici. Titus aurait alors

retrouvé Bérénice, Andromaque éperdue serait tombée dans les bras de Pyrrhus...

Murano.

L'île de verre et d'eau, transparente et maniérée.

Au-delà du débarcadère, il est un promontoire herbeux ; l'herbe y est mauve à force de recevoir les derniers rayons d'un soleil roux.

Tout est rouillé d'ailleurs dans le crépuscule, même moi, même Daniel, même la mer.

Je suis morte.

Nous avons couru tout le jour dans le village, sur les rochers. Julius est resté, il a promis aux Bridoux de leur faire connaître le Venise gastronomique ; nous saurons tout cela ce soir, à l'hôtel.

Pour l'instant, rien n'existe que Murano et la nuit qui vient.

Jamais je n'oublierai...

Nous avons joué à « Que font-ils en ce moment ? » Eh bien, en ce moment, ils font le contraire de nous, ils s'ennuient, ils travaillent, ils sont au collège, au bureau, dans des rues ordinaires. Ils, ce sont les parents, Nathalie, Londet, tout ce monde d'habitudes.

Le nez de Daniel me cache Venise. Elle est là-bas, derrière sa narine gauche, disparaissante... Une brume est venue peu à peu sur la mer, des nuages à la crête des vagues minimes.

« Ecoute..., voilà le bateau... »

C'est vrai, il y a un moteur très lointain, invisible encore, qui s'approche, il surgira doucement de la mer sans que personne s'en aperçoive. Sur les bancs, des voyageurs attendent ; il y a un carabinier, splendide — on dirait qu'il va chanter l'opéra.

« Ce soir, dit Daniel, attention... grande surprise. »

Je le regarde. Il est couché dans l'herbe et regarde le ciel.

« Qu'est-ce que tu prépares ?

— Grande virée, tu vas voir... Attends-toi à tout. »

Il sourit de bien-être et moi aussi.

Voici le bateau. Je me lève et décolle les herbes de mes genoux. Je serre dans ma main le petit cheval de verre filé.

Plus tard peut-être m'offrira-t-il des voitures, des yachts, des fourrures ou un aspirateur, mais ce qui compte c'est qu'aujourd'hui il m'a donné ça, du verre soufflé que les ouvriers fabriquent en deux tours de main. Près de la rambarde, une Hollandaise de trois cents kilos serre sur son ventre un vase gigantesque en verre multicolore ; cela me fait rire de la voir ; moi, j'ai mon petit cheval, sans derrière, mais si limpide, un jet de verre à quatre pattes si fines.

« Fais gaffe, m'a dit Daniel, ça casse... »

Avec la bague et la photo, c'est son troisième cadeau, mais celui-là il est spécial, c'est nous deux à Venise, un coup que ne font pas les enfants ordinaires.

« Dépêche-toi, c'est le dernier bateau... »

L'île sent les fleurs, les herbes chaudes et, mêlé à cela, le sel de la mer.

« Viens à l'avant. »

J'adore les vieux petits bateaux, les ponts en bois humides et les cordages un peu partout qui font trébucher.

L'étrave soulève une écume qui a la couleur du papier de chocolat. Tout s'est plombé.

J'ai posé ma tête sur son épaule, l'épaule de Daniel de La Garenne, prince de Venise pour deux jours encore... Ce soir à minuit nous aurons passé la moitié du temps, mais il ne faut pas penser à cela...

« A quoi penses-tu ? »

Il hausse son épaule libre.

« Des bêtises, dit-il. On a passé la moitié du temps...

— Il reste l'autre moitié, dis-je, tourne-toi vers l'avenir. »

Les eaux deviennent plus sombres, plus sales aussi, les canaux sont bordés de hauts murs de brique et des chalands amarrés emplissent l'air de relents de sau-

mure ; le long des péniches flottent de vieux bouchons, des immondices, des moires de gas-oil.

« Lauren...

— Oui... »

Nous sommes dans les faubourgs. Les quartiers de
pêcheurs, sur la gauche, ce sont les docks et les cargos
pour la Grèce et Brindisi.

« Et si on ne rentrait pas ? »

Le bateau file à présent sur son erre, double la jetée.

« Qu'est-ce que tu veux dire ? »

Derrière nous, la Hollandaise jacasse un italien à
l'accent d'Amsterdam.

« Oui, dit-il, on se débrouille bien, on est heureux
ensemble, pourquoi est-ce qu'on va rentrer ? Pour
retrouver qui ? »

Je me tais. Le bateau avance toujours, l'eau est
lourde et huileuse et nous progressons par un lent
glissement.

« Il faut réfléchir, dis-je, il faudrait gagner notre
vie... »

Nouveau haussement d'épaule.

« Fastoche, on a bien réussi jusque-là... On débarque dans un pays pauvre et on se débrouille, on
escroque le touriste, on fait du commerce, n'importe
quoi... »

C'est grave. Je sens que l'instant est décisif. Le quai
se rapproche, noir sur la nuit, il y a des ancres et des
empilements de cageots qui se profilent à la lueur des
fanaux.

« Alors ? »

De toute façon, quatre jours, ce n'était pas assez.

« D'accord.

— Bingo ! »

L'air est devenu plus violent et meilleur, on a sauté
ensemble et couru à travers les ponts : on était partis
pour la vie.

« Faut en parler à Julius ! » a haleté Daniel.

Je l'ai arrêté et nous nous sommes embrassés dans
un renfoncement sur une placette au ras des eaux. Il

y avait la lune comme un décor de théâtre, j'en ai la bouche meurtrie, un baiser fou, comme ce pays planté sur les eaux.

« Regarde, tout est calculé. »

L'avant était si proche de moi que j'aurais pu le toucher : une sorte de grosse clef noire et ronde.

Le gondolier était tout rond aussi, un vrai gondolier à maillot rayé et chapeau de paille.

« *Gondola for you, lady and gentleman ?*

— Il parle américain, dit Daniel, demande-lui combien de lires ? »

Il en voulait suffisamment au départ pour s'acheter une deuxième gondole ; finalement, il a baissé par secousses brèves et inopinées à quatre cents. Daniel, qui suit avec attention, a levé trois doigts et dit :

« Trois cents, c'est O.K. »

On a fini par monter au milieu d'invectives vénitiennes. Les eaux se sont écartées et je me suis trouvée à la place de toutes les héroïnes ; il n'y en a pas beaucoup qui échappent à la situation.

Des romans où la jolie dame se retrouve les fesses dans le velours tiède avec un batelier chantant et un amoureux splendide, il y a des siècles que cela pullule dans la littérature.

« Tu sais quelle était la première femme à se faire transporter en gondole ?

— Ginger Rogers ?

— Non, George Sand.

— Je ne la supporte pas, des falzars et un cigare, mais c'était la plus bonne femme de toutes les bonnes femmes.

— Qu'est-ce que tu entends par bonne femme ? »

Si jamais un couple s'est disputé en gondole, la nuit, à Venise, ça va arriver s'il prend ce ton méprisant.

« Par bonne femme, j'entends une nénette qui n'arrête pas de faire du charme pour attirer l'attention et la mère George Sand, c'est son cas.

— La mère George Sand, elle était bien plus libérée que tous les hommes qui lui couraient après...

— Ne crie pas, hurle Daniel, on n'entend plus la chanson.

— *Marechiare*, dis-je, tu ne le sais pas encore que la lune se couche à Marechiare ? On l'a entendu trois cents fois depuis que nous sommes arrivés.

— Ce que j'aime en toi, c'est ton romantisme.

— Le romantisme, dis-je, c'est le commencement de l'aliénation féminine, tu n'avais pas à dire du mal de George Sand. »

Le rameur derrière nous trempe sa rame dans l'eau de plus en plus lentement, il semble inquiet.

La gondole tourne : c'est la Salute, et le Lido, illuminé.

« Elle m'emmerde, explose Daniel. *François le Champi*, *La Mare au diable*, c'est emmerdant, des histoires de Berrichons miteux arriérés, je ne comprends pas que toi, avec ton sens du ridicule...

— Calma, lady and gentleman, vous gêne the lovers in autres gondoles. »

C'est vrai, nous longeons des embarcations silencieuses, rires et chuchotis dans la nuit étoilée.

« Ecoute les tarés, dis-je, ils sont à Venise, alors ils croient que c'est bien de se faire guili-guili, ils s'enverront la vaisselle à la tête dès le retour. »

Je me penche sur l'eau vers les gondoles.

« Assez d'hypocrisie ! Réveillez-vous !

— Silenzi, per favor, implore le gondolier, many people is dormir.

— *La Petite Fadette*, crache Daniel, c'est le pire, j'ai jamais rien lu de plus con. »

Promenade d'amoureux, hein ? Eh bien, la spécialité du pays va en prendre un sacré coup !

Je me retourne d'un bloc, furieuse, et...

Cela a fait un petit bruit triste et mouillé, même pas un clapotis.

Les cercles disparaissent dans le sillage de l'embarcation.

« Qu'est-ce que tu as ? demande Daniel, inquiet ; tu avais l'air en pleine forme...

— Le cheval, dis-je..., il est tombé. »

Le petit corps de verre tourbillonnant dans l'eau noire comme une feuille dans l'air..., il doit y avoir tant de vase... Je ne l'avais pas lâché depuis qu'il me l'avait donné.

« Ça ne fait rien, dit Daniel, je t'en achèterai un autre... »

Le rameur se penche, plein d'espoir ; cela doit lui faire tout drôle de ne plus nous entendre nous disputer. Il montre quelque chose du doigt.

« Pont des Soupirs, dit-il, célèbre, many bacci dessous. »

C'est lui, plus épais que je ne l'aurais cru, plus dramatique.

« Ne pleure pas, dit Daniel, sinon je t'embrasse, juste quand on passera dessous, comme George Sand.

— Tu es un sale banlieusard, dis-je, mais je crois que j'aimerai ça.

— Attention, on y est, imagine que c'est Robert Redford. »

Eh bien, voilà, je l'ai, mon baiser en gondole, un rêve de femme réalisé un peu plus tôt que les autres, voilà tout, mais c'est normal : les surdoués ont toujours de l'avance.

Le pont des Soupirs est derrière nous.

« Alors, ton impression ?

— Je n'ai pas pu oublier que c'était toi, dis-je, mais c'était intéressant tout de même. »

Les reflets sont si longs à présent qu'ils semblent atteindre le fond des eaux, les terrasses sont pleines, il est neuf heures à peine et la nuit est si douce...

« Le Rialto, dit Daniel, mon préféré. Tu aimes aussi ? »

C'est vrai que c'est beau, la pierre est moirée comme du marbre.

« J'aime aussi.

— Alors, dit-il, tu vois qu'on a parfois les mêmes goûts. »

Je ris avec lui et, derrière, notre rameur définitivement rasséréné se racle la gorge et lance une volée de notes.

Cuanto spunta la luna à Marechiare...

J'enfouis ma tête dans son cou avec un gémissement.

« Il est heureux, dit Daniel ; quand un gondolier est heureux, il chante *Marechiare*, il faudra t'y faire.

— C'est la première fois qu'il entend un couple se disputer, dis-je, il va raconter ça à tous ses copains.

— Qui s'est disputé ? »

Je soupire de bonheur. Je vis avec un homme merveilleux.

« Finito, lady and gentleman. »

Nous avons quitté le centre du Grand Canal, nous frôlons les flancs noirs des gondoles.

« Mes chers petits ! »

Nous levons la tête. Royal dans son siège de toile, attablé devant ce qui ressemble de très près à un verre à bière plein à ras bord d'un rubis liquide et pétillant, Julius nous hèle en grand-papa gâteau, une bouteille de chianti à portée de chaque main.

« Où étiez-vous donc ? Nous voulions, M. et Mme Bridoux et moi-même, vous emmener dîner chez Mauricio, la meilleure soupe de poisson de toute la Vénétie... »

Julius coule des regards langoureux vers Madame qui serre toujours son sac sur son cœur et semble insensible au charme d'Edmond. Son mari boit de l'eau minérale d'un air funèbre.

« Vous n'avez rien perdu, dit-il, pas de soupe ce soir et vous avez vu les radis ? Ils ont beau les couper en deux, j'en avais tout de même que trois dans l'assiette. J'exagère, Marguerite ?

— Non », dit Marguerite.

Bridoux remonte sauvagement ses socquettes à rayures et lâche :

« Et les fruits, vous avez vu ce qu'ils appellent " les fruits " ? Deux abricots pour trois, gros comme des noisettes... »

Julius, bonhomme, décortique un cigare sous cellophane.

« C'était à la bonne franquette, un restaurant sympathique et bon marché. »

Bridoux lui décoche un regard furieux.

« Bon marché ? On peut dire que vous avez les moyens, vous !... Six cents lires ! Bon marché ! »

Il va éclater d'indignation. Daniel intervient :

« Demain, on vous invite, dit-il, c'est notre tour. »

Légère surprise du couple.

« Ils ont des petites économies, explique Julius, prudent, c'est gentil à eux, vous ne trouvez pas ? »

Marguerite nous fait un sourire coincé. Si elle n'a pas à ouvrir son sac coffre-fort, elle est satisfaite.

« Qu'est-ce que vous prenez, chers petits ? » demande Julius.

De plus en plus princier et de plus en plus grand-père, on ne pouvait guère rêver mieux. Nous nous installons, Daniel et moi, face au canal illuminé, aux berges somptueuses ; il fait chaud encore, comme il est bon d'être ici...

« Comme je vous le disais, poursuit Julius, il y eut une période à Manille où j'habitais un palais à quatre terrasses superposées ; des serviteurs indigènes couraient sans arrêt dans les couloirs pour que les glaçons des verres ne fondent pas entre l'office et les salons de réception... »

Il est parti, les Bridoux l'écoutent, bouche ouverte, Daniel me sourit....

Nous nous aimons, c'est Venise et nous ne nous quitterons jamais... Le petit cheval a joué son rôle, à jamais notre amour dort, un amour en verre filé sur un lit de velours vert, au cœur de la plus belle ville du monde.

« Gelati », dis-je.

Déjà la glace fond dans ma bouche, pistache et vanille. Daniel plonge sa cuillère dans son semi-freddi.

Nous resterons toujours...

XXVII

« *Ecco !* »

Je m'écarte de justesse : la patronne me colle une assiette à soupe au ras de la table, dedans il doit y avoir deux kilos et demi de lasagnes fumantes couvertes de parmesan, de boulettes de viande et de sauce tomate ; c'est brûlant et fameux. A travers la vapeur, Edmond-Julius Santorin, cravate desserrée, brandit sa fourchette.

« Vous prendrez bien un peu de Valpolicella, madame Marguerite ? »

« Madame Marguerite ! » Les liens se resserrent : j'ai toujours pensé que ce sacré Julius était un sacré tombeur. Elle s'entortille de spaghetti à la bolognese, la mère Marguerite, et de sa main libre elle se cramponne à son sac. Ce n'est pas un sac, c'est la prison de Fresnes avec des poignées.

« Fameux, non ? »

Lauren n'entend pas, elle est en grande discussion avec un matelot grec à tête de pirate barbaresque. Elle adore discuter avec les marins. Ça, c'est son côté grande bourgeoisie américaine. Elle s'encanaille.

Le type connaît dix mots d'anglais, elle se débrouille en grec classique, ça jacte sec.

Il n'y a que Bridoux pour ne pas avoir l'air joyeux, il regarde son assiette. Il doit compter le nombre de ravioli qui s'y trouvent. Une vraie manie.

J'ai eu une bonne idée de venir ici : un restau de marins tout près des bassins de radoub. Ça sent un peu fort le poisson salé, c'est pas select et il y a des carcasses rouillées de navires qui semblent rentrer par la fenêtre, mais dans les assiettes il y a la quantité et avec les murs noirs et les calendriers pleins de pin-up on dirait le décor de *La Taverne de la Jamaïque*.

« David, il nous invite à bord ; si on veut partir, il est d'accord... »

Je regarde le pirate qui fume un cigare tordu comme une branche d'arbre.

« Où va-t-il ?

— Odessa, Istanbul, Tunis et Carthagène.

— C'est ça, dis-je, et tu finis à Tanger en train de faire la danse du ventre au fond des souks. Bingo ! »

Elle rit. Totalement inconsciente. Heureusement que je suis là, sans moi elle serait déjà au fond d'un harem dans un des émirats du golfe Persique.

Je me penche au-dessus des lasagnes.

« Istanbul, Julius, ça vous plairait d'y faire un tour ? »

Il enroule d'un coup la moitié du contenu de son assiette autour de sa fourchette et rugit :

« Istanbul ? La Corne d'Or ? Le Bosphore ? Le Grand Bazar ? J'y ai vécu des moments inoubliables, des nuits à boire du raki avec les sbires de Mustapha Kemal ; j'avais un poignard de janissaire qui ne me quittait jamais et...

— Alors, dit Lauren, vous êtes d'accord pour y aller ? »

Grand-papa s'envoie un verre de vin noir comme de l'encre qui sent le raisin et le poivre, embrasse sa petite-fille et me broie la main.

« Au bout du monde, dit-il, Istanbul demain, Venise aujourd'hui, Hawaii la semaine prochaine ! »

Marguerite toussote, interrompt le torrent d'enthousiasme que Julius s'apprête à déverser et demande d'une voix craquelée :

« Et l'école, ils ne vont donc jamais à l'école, ces petits ? »

Celle-là, je pensais bien que ce serait une emmerdeuse, mais je ne croyais pas qu'elle se déclarerait si tôt.

« Ça se termine, dis-je, et puis la maîtresse était malade, alors pépé a décidé de nous emmener en avance. »

Pépé s'empiffre et sursaute quand je lui balance sous la table un shoot dans les tibias.

« Exact, s'étrangle-t-il, tout à fait exact. »

Elle n'a pas l'air parfaitement satisfaite, Marguerite Bridoux, elle soupçonne quelque chose de louche.

Des marins arrivent et une odeur de goudron envahit la cambuse avec celle des vieux cordages, ça grouille à présent.

« Couleur locale ! clame Julius, ne se dirait-on pas à Valparaiso ? Goûtez-vous cette poésie des grands ports ? Buvons, mes amis ! »

Bridoux termine ses ravioli en vitesse et Marguerite serre son sac plus fort — ils n'ont pas l'air faits pour l'aventure, tous les deux. Le marin de Lauren lève son verre vers les nouveaux arrivants qui s'esclaffent et une grande claque dans le dos me décolle littéralement de ma chaise. Je me retourne.

Un grand costaud à mèche jaune et aux mains tatouées sourit de tous ses chicots.

« Venir avec nous, très loin, embarquer : Fianarantsoa, Macao, belle vie.

— Te voilà matelot, rit Lauren, toi qui as le mal de mer dans ta baignoire ! »

La salle s'écroule : mèche jaune vient de péter de rire.

On ne s'entend plus, des bouteilles circulent, la patronne crie avec deux assiettes de minestrone au-dessus de sa tête.

« A boire pour tous, brame Julius, le plus beau jour de ma vie, nous sommes tous frères, si tous les gars du monde... »

Lauren lui enfourne une tranche de pastèque dans la bouche.

« Restez calme, grand-père ! »

J'ai un cigare dans la main, un terrible, un bâton de cigare, la fumée m'arrache la langue comme un piment rouge.

De nouveaux arrivants encore, des caisses de citrons sur les épaules. Julius se lève, un verre dans chaque main.

« Bienvenue ! clame-t-il, gloire à l'Italie éternelle ! »

Il nage dans le bonheur, Edmond, enfin une existence de retraité. Quelque chose me chatouille l'oreille. Je me retourne : c'est Bridoux qui chuchote depuis deux minutes :

« Nous allons vous laisser..., pas coucher trop tard...

— C'est ça, dis-je... Bonne nuit, nous n'allons pas tarder non plus... »

Il n'a pas dû entendre dans le brouhaha, ils filochent entre les tables et disparaissent.

La patronne revient avec des sardines grillées. Le marin mèche jaune a pris Julius en amitié et derrière le comptoir un type monte sur un baril, mandoline au poing. C'est terrible, les fêtes, on se donne un mal fou pour les organiser, et tout le monde s'ennuie et puis, tout d'un coup, elles vous tombent dessus sans que personne s'y attende, comme ce soir, on est entrés là pour casser une graine et voilà qu'il sort des amis de partout...

« Ju-lius ! Ju-lius ! Ju-lius ! »

Je me réveille d'un coup... J'ai dû dormir quelques minutes, la fatigue, les lasagnes, Julius danse la tarentelle avec la patronne. C'est le roi de la fête.

« Il faut l'emmener, Daniel, il va être ivre. »

C'est vrai, il est temps de prendre soin du grand-papa Santorin.

Lauren l'attrape par le bras :

« On a sommeil, pépé, il faut aller se coucher... l'hôtel est loin... »

Ils ne voulaient pas le lâcher, les matafs, ils voulaient le prendre sur leur navire et l'embarquer vers les îles et lui n'était pas très chaud pour rentrer, il faut bien le dire, il faisait sa virée, et cela ne lui était jamais arrivé... On y est parvenus enfin et on le tenait de chaque côté, c'était nécessaire pour éviter les cabestans, les amarres tendues. Il nous a raconté comment il avait quitté Melbourne pour Caracas en passant par Aden et la mer Rouge... Toujours ses rêves de consul... Il parlait si fort que dans les ruelles les gens s'agitaient derrière les fenêtres, les chats détalaient derrière les poubelles. Il y avait des étoiles partout, jusque dans l'eau. On a eu un fou rire terrible, Lauren et moi, on n'arrivait plus à le maintenir. Au quai des Esclavons il a commencé à chanter *Camisa rossa*, l'hymne des garibaldiens ; heureusement, l'hôtel n'était pas loin. Il était près d'une heure du matin et le veilleur de nuit bâillait dur, il a quand même eu le réflexe de nous tendre un papier.

« On a téléphoné, il faut que vous rappeliez à ce numéro. »

J'ai regardé Lauren. Tout de suite, j'ai compris que quelque chose n'allait pas. De l'eau dans le gaz.

« Qu'est-ce ? »

Elle a avalé sa salive.

« Nathalie. Je lui avais dit de nous prévenir si..., enfin, si quelque chose se passait. »

J'ai prévu le coup dur tout de suite. Nous nous sommes regardés.

Dans l'asile d'amour, l'alarme a retenti.

Il y avait longtemps que ça ne lui était plus arrivé, mais je l'admire de faire des vers dans un moment pareil.

« Je pourrais avoir Paris ? »

Je croyais qu'il n'existait plus, Paris, que tout s'était englouti, juste Venise au monde qui surnageait.

« Une demi-heure d'attente. »

Ça va être long. Qu'est-ce qui a bien pu se passer ? Je la trouve un peu pâle soudain sous les lumières...

C'était pourtant du solide, cette histoire de Mont-Saint-Michel.

On est seuls dans le hall. L'eau clapote à quelques pas derrière les piliers. Il y a quelques minutes, c'était la fête, la joie, les fumées...

Mais qu'est-ce qui a bien pu foirer ! Ou bien alors c'est Nathalie qui veut simplement savoir si... Si quoi ? S'il fait beau ou si la vie est chère ? Non, c'est...

Sonnerie.

Nous fonçons ensemble, j'ai le deuxième écouteur. Ça résonne tout là-bas, à l'autre bout du monde. Décroché.

« Nathalie ? Qu'est-ce qui arrive ?

— C'est toi ? »

Explosions à crever les tympans. Elle sanglote dans le téléphone, cette bon sang de géante, elle doit en secouer les fils entre Paris et Venise.

« Mais qu'est-ce qu'il y a, enfin, parle !

— Oh ! Lauren, oh !... »

Damned ! Cette fille m'exaspère, Lauren aussi s'énerve.

« Respire un grand coup, ferme les yeux et détends-toi ; alors, que s'est-il passé ? »

Reniflements en séries.

« C'est ta mère, ta mère qui... Oh ! Lauren. »

C'est reparti.

« Laisse-moi la tuer, dis-je.

— Tais-toi, dit Lauren, elle va y arriver. »

L'écouteur doit être trempé à l'autre bout, cela fait de drôles de bruits spongieux.

« Voilà, c'est ta mère qui est... Enfin on s'est rencontrées dans la rue de Passy, magasin.

— Qu'est-ce que tu faisais donc ?

— Ce n'est pas de ma faute, gémit la géante, j'avais besoin de ce pull-over réel, elle m'a demandé pourquoi je n'étais pas au Mont-Saint-Michel et... »

Je n'ai même plus besoin d'écouter pour comprendre la catastrophe, elle a dû devenir rouge comme un camion de pompiers et lâcher le morceau.

« Quoi ? »

L'exclamation de Lauren m'arrache l'écouteur.

« Quoi ! Tu leur as dit que j'étais à Venise ! »

Gémissement de bête.

« Mais ils menacer ! Parce que ton père venu et... »

Je prends l'écouteur des mains de Lauren.

« Ils savent qu'on est à Venise ?

— Je... Hello ! Daniel... C'est qu'ils parlaient complicité, rapt, de...

— Réponds oui ou non, dis-je, ils savent qu'on est à Venise ? »

C'est le ton Bogart : ou on obéit ou on ment.

« Oui, flûte Nathalie.

— O.K. »

Je raccroche et regarde Lauren qui se bouffe les ongles.

Cette fois, ça tourne au film policier et nous sommes le gibier.

« Deux solutions, dis-je, ou tes parents rappliquent, ou ils ont lancé un avis de recherche et on a les flics au cul. »

Elle croise les bras et baisse la voix.

« Tu es sûr ?

— Evident. Dans un cas comme dans l'autre, il faut filer d'ici parce qu'ils ont l'adresse de l'hôtel. »

Elle m'empoigne le bras et secoue ses boucles.

« Fuyons », dit-elle.

Dans les murs désertés rien ne subsistera,
Ni la trace d'un pleur ni l'empreinte d'un pas.

« Bingo. Mais il faut se carapater tout de suite. »

Sursaut.

« En pleine nuit ? »

J'ai une vieille expérience d'homme traqué qui m'oblige à sourire à sa question.

« La police n'attend pas l'aube. Tu devrais avoir vu ce qui arrive à James Steward dans...

— Il faut réveiller Julius, dit-elle, on ne peut pas le

laisser en panne et il pourrait avoir des ennuis, être accusé de kidnapping.

— On réveille Julius. »

On fonce dans les escaliers. Plus facile à dire qu'à faire de réveiller Julius. Tout l'hôtel est sur le palier, sauf lui.

A l'étage au-dessus, la tête jaune de Marguerite Bridoux dépasse de la rampe de l'escalier et se rétracte.

Et voilà pépé en rayures grises, il a dû se tailler son pyjama dans de la toile à matelas.

« Mais qu'y a-t-il, que...

— On vous expliquera plus tard, grand-père, faut s'habiller et partir. »

Il fait un effort surhumain, soulève une paupière d'un quart de millimètre, a un renvoi de Valpolicella, asphyxie toutes les mouches de l'Italie et lâche :

« J'ai des sous, dit-il, on paiera demain matin, pas la peine de partir en douce.

— On part pas en douce, il faut s'en aller, on vous expliquera. »

Il a un air si catastrophé tout d'un coup, que je sais ce qu'il va demander.

« On rentre pas déjà ? »

Voilà, j'en étais sûr qu'il dirait ça.

« Non, on continue le voyage. »

Il s'assoit sur le lit défait, mais une lueur d'intérêt s'est éclairée dans son œil.

Il remue sa langue dans sa bouche et aux efforts qu'il fait elle a l'air de peser trente tonnes.

« On pourrait ne partir que demain matin », finit-il par dire.

Lauren est géniale dans ces cas-là, elle sait exactement ce qu'il faut dire ; elle s'est penchée sur l'oreille où les poils blancs sortent par touffes et avec son air distingué elle a murmuré :

« On a les flics au cul. »

Il a pédalé dans le vide avant de retomber sur le lit, avec plein de flammes qui lui sortaient par les oreilles.

Il n'y avait pas plus réveillé que lui dans tout Venise. Il a sauté sur sa valise, nous a regardés, a cligné de l'œil et a fait :

« Bingo ! »

Moi, je le dis comme je le pense, mais ce vieux-là, il aurait mérité d'être américain et de tourner dans des films.

XXVIII

Le lent piétinement des biches apeurées.

Attention au départ. Ils ont mis des haut-parleurs dans les arbres, détruisant la sérénité de ces bois transalpins. Adieux, sylphes et sylphides, place aux compétitions.

Ce que je peux avoir les jambes blanches ! c'est horrible, et ce short bleu nuit à bande verte, c'est une horreur pure. Les sportives font de petits sauts tout autour des arbres, des échauffements, comme si elles allaient danser *Giselle*.

Ça se resserre, ça se crispe, ça se tend et...

Je cours déjà, je ne me suis même pas aperçue du départ. Mes genoux montent alternativement, piaillements de tous côtés, et vlan, un coup de coude. Le tournant se dévide, des troncs défilent, tout s'écarte et voilà cinq cents filles devant qui se ruent dans la prairie, sans doute autant derrière et moi au milieu qui galope à corps perdu.

Le superbe entraînement pour semer toutes les polices internationales : le cross de l'année, toutes les classes d'âge : de six à soixante-quinze ans, des poussins aux vétérans chenus, personne n'y échappe, tous en piste dans les bois de Marinagio. Vous ne connaissez pas Marinagio ? Marinagio est à Vérone ce que

La Garenne-Colombes est à Paris. J'étais ravie, moi, d'arriver à Vérone, je commençais à chercher les traces de Roméo et Juliette lorsque l'homme traqué de ma vie a remarqué une voiture de policia qui ralentissait de plus en plus devant nous, alors hop, un saut dans la ruelle de droite, sprint à gauche, re-sprint à droite, on ressort du dédale et... Depuis la vie n'est qu'une poursuite échevelée.

Là, ça monte ; j'ai beau ne pas forcer, je commence à bafouiller le langage de ma respiration.

Montez, blancs genoux, respectez la cadence... J'en double un beau paquet en ce moment.

> Italiennes jeunettes aux yeux exorbités,
> Rentrez donc votre langue, vous vous enlaidissez.

Devant, une grande sèche court, penchée à angle droit... Le plus drôle serait de gagner la course, je vois d'ici la tête de Roméo.

En short, Roméo, comme Juliette. Il s'est fait sélectionné pour le saut à la perche. Voilà ce que c'est de ne pas connaître l'italien. S'ils mettent la barre à plus d'un mètre cinquante, il va avoir un accident ; c'est dangereux, ces ustensiles en fibre de verre, de véritables ressorts, il faut avoir l'habitude... Ma dernière vision de Daniel est celle d'un garçon terrifié serrant dans ses mains moites une immense tige qu'il tenait comme un lancier du Moyen Age... Pourvu qu'il ne se casse pas de jambe !...

Attention aux troncs d'arbres.

Je ne comprends pas très bien l'italien, mais ça me semble vouloir dire que la barre est à trois mètres.

J'ai plutôt l'impression qu'elle est à vingt-cinq, mais c'est sans doute une erreur de ma part. Les yeux sont sur moi... Misère de vérole. J'aurais jamais cru que cette tige soit si longue et bouge tellement au bout. On la dirait vivante et constamment furieuse. Attention : haut-parleur.

« Treciento vinte cinco ! »

C'est moi, le treciento vinte cinco : le gars qui flageole avec son bâton vivant de trois mille mètres de long... Quelle idée de se planquer ici ! Mais c'est la bonne solution, deux fourmis dans un tas de foin. Je piétine sur place, comme pour m'échauffer, j'ai vu ça à la télé pendant les Jeux olympiques... Ils restent des heures, les mecs, sur place, à se dandiner. Ça fait gagner du temps. Je ruisselle. Il ne fait pourtant pas si chaud que ça. Il fait même assez frais pour la saison...

Waouah... Avalés, les troncs d'arbres, mais ces escalades cassent le rythme, rompent les jambes... le cross est un instrument de torture qui... Je sens ma langue qui sort toute seule...

Serpent d'impertinence, regagnez le logis...

On me rattrape, on me dépasse, on me bafoue. Mon cœur bat, éclate... Voyons, il faut que je pense à autre chose, que je me récite des vers...

Je passais jusqu'aux lieux où l'on garde mon fils
Puisque une fois le jour vous...

Ça ne va pas avec le rythme, Racine ne vaut rien pour le cross-country, des souvenirs plutôt..., oui. Donc, après notre fuite à Vérone, on a pris ce camion de salades pour faire le tour de la ville, un chauffeur charmant, très gai, il nous a lâchés à trente kilomètres de Padoue, il n'avait pas dû comprendre avec les bruits du moteur. Bref, Julius devait nous attendre à Vérone, absolument affolé, et nous, nous dégagions des parfums de laitue sur les bords d'une autostrada.

Quant à la nuit qui a suivi, je ne recommande à personne de coucher dans une barque, ce sont les reins qui sont le plus à plaindre, mais le reste ne vaut guère mieux. Douceur de la nuit italienne, clapotis de ruisseaux, la nuque sur le seau à écoper, Dany boy a tenu à ce que nous nous enveloppions d'une vieille toile cirée pour ne pas avoir froid ; autre torture, la toile cirée : chaque pli est de glace et, Seigneur ! ça ne finira donc jamais, je vais exploser, mes cuisses tremblent, deux tonnes à soulever à chaque pas.

Quand je dis frais, c'est une façon de parler, il doit bien faire quarante-cinq. A l'ombre, évidemment, parce qu'au soleil, inutile d'en parler, on doit frire. D'ailleurs, j'en sais quelque chose : je suis en plein soleil actuellement. Ça fait même pas mal de temps que j'y suis avec cette foutue canne à pêche. Ils commencent à faire de drôles de têtes tout autour, comme s'ils s'impatientaient.

« *Treciento vinte cinco !* »

Oui, ça va, on y va, une minute, on n'est pas aux pièces, respectez la concentration de l'athlète. Je dois être vert. J'ai les paumes moites. Je vais glisser. Comment ça se plante, cette saloperie de canne à pêche ? Partir à Venise avec la femme de sa vie et se retrouver en train d'effectuer du saut à la perche tandis qu'elle fait du cross-country, on pourra dire ce qu'on veut, mais c'est pas banal. Bon, eh bien, c'est pas tout ça, mais...

Un ruisseau, il ne s'agit pas de mettre les pieds dedans, il faut bondir, gracieuse, légère, petite fée... hop...

Même pas un mouchoir pour m'essuyer. Trempée jusqu'au sommet du crâne, je vais fonder une ligue anti-cross pour que jamais les adolescentes de l'avenir ne subissent cette infamie.

Re-stop avec détour par Mantoue pour semer les poursuivants — ah ! nous la connaîtrons, l'Italie du Nord — et récupération de Julius-Edmond qui repart ce soir pour Ravenne. Merveilleuses fresques à Ravenne, techniques tout à fait particulières de la fixation des couleurs par superposition des couches, j'espère voir cela un jour.

Attention, je passe.

Quand faut y aller, faut y aller.

Les types derrière ont l'air furibards. Une drôle de langue, l'italien... Même si on ne la parle pas, on sent quand même s'ils sont heureux de vivre ou s'il y a quelque chose qui cloche. En ce moment, on a plutôt l'impression qu'il y a quelque chose qui cloche.

Léger sautillement et je m'élance. D'un bond souple. Trois mètres, c'est quand même pas la muraille de Chine...

« *Treciento vinte cinco !* »

Bon, eh bien, ça va, ça fait trois fois, c'est pas la peine de hurler comme ça. Relax, les mecs, relax...

Allez, cette fois ça démarre, sans secousses, à petites foulées. Bingo.

Madonna Santa, juste à l'instant où je me faufile, un paquet de trente coureuses qui s'écroulent, jambes en l'air, fouillis de filles. Je me relève, les haut-parleurs diffusent *Da me un baccio ancora*, le tube du festival de San Remo, une chanson qui me fait penser à de la crème de marron, dix ans de ma vie pour une gelati. Je repars.

Plus que dix mille kilomètres sans doute.

« Planque superbe », a dit Daniel en m'entraînant vers la grande fête du sport, il m'a expliqué ça en courant : « On cherche deux enfants, on les trouvera pas au milieu de trois mille. » Après, ce fut le vol des shorts et des dossards (j'ai le 737) et je me demande où tout cela...

Folle trouille, ça approche, la barre grossit, grossit, sainte mère des cinéphiles, priez pour votre enfant, ça vibre dans les bras, ça se... WOUAAAH, à moi, les anges, le ciel descend à toute allure, je vole, les gars, Michon l'obus humain, l'hirondelle du faubourg, le...

Ligne droite. Toujours cette grande sèche devant qui secoue ses allumettes à toute allure et qui m'expédie des milliards de gravillons avec ses talons pleins de pointes.

Da me un baccio ancora. Encore pire que *Marechiare.*

La vie est une longue course.

Son idée est de sortir avec un paquet d'enfants dans nos âges et de se faire ramener en voiture par des parents venus chercher leur progéniture, de sauter dans un wagon de marchandises, et en avant pour Ravenne en petite vitesse. Le vrai petit Machiavel.

Haut-parleurs.

Rangées d'arbres. Les yeux me piquent, cent ans de ma vie pour une limonade. Du plâtre au coin des lèvres et la bombe du cœur jusqu'au milieu du ventre.

Ça fait drôle de toucher les nuages et de ne pas passer deux mètres cinquante. Le type qui m'a ramassé a semblé me dire que j'avais un très beau style, mais je ne suis pas sûr d'avoir très bien compris, ce devait être du patois du pays. Le plus douloureux, c'est à la hauteur de la dernière lombaire. En fait, j'ai réussi ce que peu d'athlètes ont dû réaliser au cours de leur existence : faire du saut à la perche, mais en longueur. J'ai été filmé juste à ce moment-là. Un grand moment de télé... J'espère que c'était en Eurovision. Et Lauren qui court toujours...

Applaudie par des Italiens en délire, c'est le sprint final, fonce, Lauren, fille naturelle de Fausto Coppi et Maria Callas.

Quatre cents mètres.

Je ralentis. C'est ridicule, plus je veux aller vite, plus je ralentis, le tapis du sol ne se déroule plus... Mes mollets mollissent.

Trois cents mètres.

Ils font des gestes de chaque côté, je n'entends plus,

rumeur sous-marine, bang-bang-bang — je passe la grande sèche.

Deux cents mètres.

Imagine, Lauren : scotch-volupty et glaçons tintants, Daniel et son bouquet : tu es merveilleuse, chérie, le record a été pulvérisé.

Cent mètres.

Peux plus... Mes tripes jaillissent, sac des poumons vide jusqu'à la lie, jusqu'à l'os, poumons creusés jusqu'à l'os.

Cinquante mètres.

L'enfer en moi s'est déchaîné.

Dix mètres.

Jamais plus de cross.

Trois mètres.

Morte.

Vingt centimètres.

Teu-heu teu-heu teu-heu.

Arrivée.

Da me un baccio ancora.

Je ahane, tu ahanes, il ahane, nous ahanons...

« Pas mal, constate Daniel, on peut pas dire que tu sois dans les premières, mais t'es tout de même dans le premier paquet de cent. »

Je ne l'avais pas vu, je suis aveugle, aveugle, écarlate et ruisselante. Mes genoux cèdent. Je m'accroche à lui.

« Teu-heu, dis-je.

— Moi aussi », dit-il.

Je ris, je tousse et je tombe.

« Tu ne m'as pas vu sauter ? »

Geste.

« Tu as manqué quelque chose, mais l'essentiel c'est qu'on ne puisse pas nous repérer ici. Tu as vu des policiers ? »

Geste.

« Tu comptes t'exprimer longtemps par signes ?

— Jusqu'à la fin de mes jours.

— O.K., dit-il, il va falloir songer à sortir d'ici. »

Des enfants grouillent autour de nous, petits athlètes identiques, c'est vrai qu'ici on ne peut nous décou-
vrir.

Il s'assoit à côté de moi dans l'herbe et les mégots et
trace des lignes dans la terre avec un bout d'allumette
brûlée.

« Ravenne est ici, on récupère Julius, on suit la côte
par les plages et les lignes des crêtes jusqu'à Ancône,
et de là... »

Il trace une ligne définitive.

« La Grèce par les îles. Tout est prévu.

— Tout ce que tu veux, mais paie-moi un verre. »

J'oscille sur mes cuisses raidies. Il y a cinq cents
filles échevelées qui lèchent les tréteaux de la buvette.

« Attends-moi », dit Daniel.

Il disparaît dans la mêlée... Je vais boire enfin, pas
plus de dix litres d'un coup, la première gorgée sera
jouissance pure.

Trempe dans l'eau nacrée tes lèvres desséchées,
Ô Lauren, ma sœur, que la course assoiffa.

Etrange est la vie, fille de Kay et de Steve King,
enfant du monde libre et du XVIe arrondissement, me
voici rendue au terme d'un cross populaire de la
banlieue italienne près de la ville qui vit mourir les
amants les plus célèbres de l'univers. Demain, ce sera
l'Acropole, et tout cela par la vertu de l'amour.

« C'est chaud et ça a l'air sucré, dit Daniel, j'ai pas
pu trouver mieux. »

Je bois la lavasse saccharinée. Il me regarde, vaguement inquiet, et j'essaie de sourire ; je sens en même
temps que je ne réussis pas.

« Si tu veux, dit-il...

— Quoi ? »

Je vois sa salive briller au coin de ses lèvres.

« On peut rentrer... ils ne nous tueront pas. C'est
dur, et... enfin je ne sais pas, moi, tu en as peut-être
marre de la cavale..., alors... on peut s'arrêter. »

Je ne vois plus que ses cheveux... C'est vrai que mes jambes tremblent encore et que je suis morte de soif.

« Si on revient, dis-je, on ne se verra plus qu'une fois par semaine, comme avant, et ce sera encore plus difficile parce qu'ils se méfieront et je veux être avec toi plus souvent. »

Il lève la tête.

« On va les rouler, dit-il, on est plus forts qu'eux tous, une fois en Grèce on est sauvés. »

Il me regarde.

« *Da me un baccio ancora*, dis-je.

— Dans les vestiaires, on sera plus peinards. »

On est partis, main dans la main, en amants de Vérone. Au fond, ils n'étaient guère plus vieux que nous, tous les deux, et à eux non plus on ne leur a pas fichu la paix. Le soleil va baisser, le parking est bourré de voitures, l'une d'elles nous emmènera loin d'ici, une autre encore et ce sera Ravenne, Ancône, le bonheur...

La vie continue.

ÉPILOGUE

Je m'en fous pas mal.

Les nénettes, ça va, ça vient.

Moi, je vais rester à La Garenne.

C'est pas mal d'ailleurs, comme endroit. Et puis j'ai le foot ici, la peloche, avec Londet... Ma vie, quoi. Et en ce moment c'est fleuri après les chantiers et il y a Paris pas loin, avec les restos, les boîtes de nuit, tout ça ; et on peut dire que je suis vachement content de rester.

Et puis l'Amérique, c'est peut-être bien au ciné, mais ça doit être aussi moche qu'ici dans les villes, avec les coins pouilleux, les palissades, et on ne peut même pas sortir le soir parce qu'il y a plein de mecs bourrés de couteaux qui attendent dans les couloirs du métro comme dans le film avec Bronson.

Elle va regretter là-bas, c'est sûr.

Sur la carte, j'ai regardé Tucson, il y a même une photo sur le bouquin de la classe : c'est plein d'usines. Pire que vers Gennevilliers.

Je pourrai même pas aller à l'aéroport. Et puis, ça sert à quoi de voir un avion partir ?

Parce qu'ils n'ont pas pu trouver pire comme remède-punition. Le retour au pays natal. Oh ! elle ne s'est même pas fait gronder. Les psychologues ont conseillé et, quand ces mecs-là conseillent, il n'y a plus qu'à obéir. Les U.S.A. guérissent, paraît-il. Guérissent quoi ?

Pareil pour moi, d'ailleurs.

« Enfant trop doué, mauvaise insertion sociale pouvant créer des traumatismes s'exprimant par la fugue... » Même Marcel n'a rien dit.

On s'est payé trois jours d'examens dès le retour. Ça, on peut dire qu'entre les gendarmes et les psychiatres, on a eu notre dose. On s'est pas fait louper.

Finalement, c'est la télévision qui nous a fait piquer. Quand on est sortis tout farauds de leur bon Dieu de fête sportive, ils étaient là, tout satisfaits : ils nous avaient reconnus sur les écrans. On n'avait pas fait deux mètres dans le parking qu'ils nous tombaient dessus comme sur Al Capone.

Victimes de la technique. C'est de plus en plus dur d'être un couple traqué. Bref, on s'est payé le voyage du retour avec deux bourriques pas causantes sur le poil.

On était inquiets pour Julius, mais ça s'est bien passé pour lui, il est rentré sagement. Il raconte des histoires du temps où il était ambassadeur en Italie du Nord...

J'irai le voir un jour, quand cela me fera moins de peine.

Il fait chaud, je n'aurais pas dû mettre ce pull.

Ça me tremble quelque part dans l'intérieur, comme de l'électricité. C'est parce que, lorsqu'elle partira tout à l'heure, on ne se verra plus, et peut-être le tremblement durera jusqu'à ce qu'elle revienne, si elle revient jamais !

Peut-être, un jour, j'irai à l'aéroport et j'aurai grandi. Je la verrai descendre avec ses jeans, ses cheveux frisés et son sac sport, et, malgré tout le monde autour, on se fera un baiser en gros plan, un baiser plein de temps perdu.

Et j'ai de la peine parce que c'est la dernière fois que je la vois descendre du bus.

Partout autour, ce sont les tours, noires ou vertes, taillées dans le verre épais ; on est en bas tous les deux, au pied des à-pics, au bas des falaises. C'est la Défense.

On n'a pas beaucoup de temps parce qu'il faut qu'elle soit rentrée pour quatre heures. Je trouve qu'elle a un peu maigri, je le sens à ses joues contre mes lèvres. Kay n'est pas là, les psychologues ont dû lui dire de ne pas venir, sinon on aurait belle-maman avec nous.

« On monte sur la plate-forme ? »

C'est un endroit large et rigolo : on est dans des sous-sols, on marche comme dans un couloir de métro, on prend un escalier mécanique et on débouche en plein ciel sur la dalle super-plate et on est une fourmi, soudain.

Il y a du vent par ici, toujours, même en été.

A la Défense, Lauren a toujours les joues rouges, c'est un quartier qui lui va bien. On s'y retrouvait quand on avait peu d'heures devant nous, parce que c'est le milieu entre chez elle et chez moi. Et puis on y est tranquilles, on peut se promener dans les allées, entre les cubes, on prend des passerelles, on enjambe des gadoues, des futurs jardins, il y a des sculptures dans des coins, posées comme des rochers, l'art moderne, quoi. C'est la science-fiction ici, alors c'est drôle de s'y balader, mais c'est bien aussi parce que personne ne s'occupe de vous ; les gens passent, glissent par les elevators, dans tous les sens ; il y a des ascenseurs en forme de bulle qui montent comme des mouches jusqu'aux terrasses, trente, quarante étages... C'est plein de Martiens là-haut.

On ne parle pas... Qu'est-ce qu'on se dirait à présent ?

Les nuages courent vite par-dessus les tours. Elles portent des noms de pétrole : tour Shell, tour Esso, tour Machin...

Bon Dieu, on ne va pas marcher ainsi sans rien se dire jusqu'à ce qu'elle s'en aille...

On lève la tête ensemble. Un coin d'édifice troue le ciel comme un triangle.

« On saute ? »

Je sais bien que c'est une envie et ce serait peut-être le mieux. Quatre-vingts étages de chute libre, on volerait un peu, un court moment, et puis scratch. Fini, l'Amérique.

« On va s'écrire », dis-je.

C'est pas négligeable, il y a ça dans mon futur : accrochée à la grille, la boîte aux lettres, avec le grincement un peu rouillé, et dedans le rectangle blanc, un carré de lumière avec de grands timbres et plein de cachets. Je les garderai toutes.

« Si je me cassais une jambe, dit-elle, ça retarderait le départ. »

C'est vrai.

« On se casse pas une patte comme ça, il faut glisser. »

Elle hausse les épaules.

« Emporte du hasch, tu te fais prendre et ils t'empêchent de partir. »

On s'assoit. C'est un banc en plastique, une baignoire coupée en deux, couleur de boucherie chevaline.

« J'espère que tu vas faire la révolution là-bas ? »

Soupir-sourire.

« A mon retour, je dirigerai le soviet suprême des Etats-Unis. »

Je n'arrive pas à oublier que c'est la dernière fois que nous sommes là. Enfin non, pas la dernière fois, mais la dernière fois quand même, parce que, même si on se revoit, nous ne serons plus comme à présent, on sera deux autres, et ce ne sera plus si bien parce que... Oh ! et puis merde.

« Tu vas connaître des cow-boys, dis-je. Epouse John Wayne. »

On se regarde. On ne s'est presque pas regardés depuis le début. Pourtant, je devrais, pour qu'elle soit marquée dans le fond de ma tête, immense, nette et gravée, comme un poster.

« On n'a pas fini notre livre, Daniel. »

Quelque chose vibre, il y a en elle un courant comme en moi, ça se remarque à la paupière, à quelque chose qui bat sous la peau, au fond d'elle.

Ma voix quand je parle est de plus en plus pâlie.

« Il manque un seul chapitre, on peut le faire par lettres, moitié chacun. »

Elle se tait et je sais bien, va, que ce roman ne ressemble à rien ; ce livre, on l'a fait partout, sur les berges en face d'Argenteuil, dans les squares du XVIe, jusqu'à Venise, partout des endroits de notre vie, et maintenant on a une vie sans endroits.

Profite, petit, profite, elle est là encore, pour si peu de temps, si peu que je ne veux pas savoir combien... Mais comment fait-on en cinq minutes pour emporter vivante une femme dans sa mémoire ?

Elle regarde devant, vers le fouillis des passerelles.

« Dans six ans, dit-elle, je serai majeure et on ne s'aimera peut-être plus.

— Je ne crois pas, dis-je, je ne sais pas, mais je ne crois pas. »

Elle devait attendre que je dise autre chose, peut-être qu'on s'aimera toujours.

Ses tennis sont usés. Il manque le petit cercle en fer à l'endroit où l'on passe le lacet, et une bille d'acier reste bloquée à la hauteur de mon œsophage qui se continue par l'appareil digestif qui comprend successivement l'estomac, le foie, le pancréas, les deux intestins et... Oui, c'est ça qu'il faut que je fasse, me rappeler des leçons d'école, des récitations... Si je pense pas à autre chose, ça va couler et je ne le veux pas. — « Ô combien de marins, combien de capitaines... »

« Je ne veux pas partir, dit-elle...

— Ça ne fait rien, dis-je, je t'attendrai. »

C'est con comme dialogue ; si j'écrivais ça pour un film, tout le monde se marrerait dans la salle.

« Au fond, dit-elle, si tout ça a eu lieu, c'est qu'après tout nous ne sommes pas normaux. »

Je me dandine.

« N'exagère pas, on n'est tout de même pas des monstres. »

Elle hoche la tête. Elle n'a pas l'air convaincue.

Nous réfléchissons ensemble. Son visage s'éclaire.

« Tu sais ce qui va se passer ?

— Je vais le savoir.

— Je pense que c'est toi qui avais raison : on va perdre notre avance, on va devenir semblables aux autres. »

Sacrée perspective. Je ne sais pas si je m'y ferai, mais...

« Après tout, pourquoi pas ! J'aurai dix-huit ans, de l'acné, l'air un peu con et un attaché-case pour mettre mes sandwiches quand j'irai au bureau.

— Et moi du bleu à paupières, une jupe tergal et je taperai à la machine. Je pourrai prendre en sténo aussi avec un bloc sur les genoux et un ruban dans les cheveux. »

Peut-être que ça pourrait arriver, c'est vrai, adieu le génie, mais après tout ce n'était pas facile. Elle sourit à présent.

« On regardera la télé, on ira au bois le dimanche et nous aurons des enfants aux résultats scolaires moyens.

— Fais gaffe, dis-je, tu aimeras moins Racine. »

Elle fait un geste qui démontre qu'elle s'en fout.

« Promets-moi, dis-je, dès que tu seras un peu plus bête, reviens. Reviens, Lauren. »

J'ai dû bien dire cela, je n'ai pas joué, les mots sont venus seuls, comme des grands garçons, ils ont flageolé un peu, tremblotant sur leurs jambages.

« Je reviendrai, dit-elle, c'est sûr. »

Je sais à présent qu'on se reverra : dès qu'on sera jeunes.

Je sens les aiguilles qui tournent ; elles tournent dans mon ventre, de plus en plus vite.

Elle baisse la tête et son visage disparaît derrière la chute des boucles.

On va voir si on est aussi des surdoués de la fidélité.

On se lève et on redescend vers l'autobus, mais pas par le chemin direct, par la diagonale, comme les crabes. C'est impressionnant de traverser l'esplanade : il y a le ciel et du béton plat, c'est notre Far West. Elle s'arrête.

« Je vais partir là, dit Lauren ; ne viens pas, parce qu'il y a toujours plein de monde à l'arrêt. »

C'est terrible de se quitter ici, tout est trop grand et je ne peux lutter contre rien, trop de hautes murailles, trop de large, trop de tout ; trop d'Amérique.

Je trouverai demain les mots que j'aurais dû lui dire ; il n'y aura plus personne près de moi tout à l'heure, et je ne serai plus qu'un minuscule petit mec qui clampinera entre les tours, de Shell en Esso, de Puteaux à La Garenne. Je serai un petit mec tout seul.

« Appelez-moi Humphrey », dis-je.

Ses yeux brillent d'eau.

« Je ne sais plus ce que j'avais répondu. »

Son visage flotte, le vent est venu et il fait froid presque d'un coup. Comme nous sommes allés loin tous les deux...

Elle a son ticket dans la main, tout plié ; il ne passera jamais dans l'appareil.

« Ne le déchire pas. »

Elle fait non de la tête et agite ses doigts à la hauteur de son oreille.

« N'oublie pas Venise », dit-elle.

Avec le canon de mon index droit, je la vise, bras tendu, en pleine tête, comme Gene Hackman dans *French Connection*, pouce replié. Je tire et j'ai dû bien tirer parce que, lorsque je rouvre les yeux, il n'y a plus rien nulle part, plus de Lauren, plus de tours, plus de Défense, que le ciel sur moi et vide, vide comme ce n'est pas permis, un ciel pour rien, bleu et con, un ciel bête à pleurer.

En bas, au pied des escaliers roulants, un autobus, gros comme un jouet, démarre, et la masque. La revoilà, minuscule. Elle crie quelque chose que je ne comprends pas. Je mets mes mains derrière mes oreilles. Elle recommence et les sons, cette fois, me parviennent.

« Dis-moi quelque chose, que je l'emporte. »

Panique. Je cherche, ça tourne, il faut trouver quelque chose dont elle se souvienne, quelque chose qui résume tout ce que nous avons été, quelque chose qui soit bien à nous, à nous deux seuls, où il y ait nos cerveaux trop gros et nos cœurs si larges, quelque chose qu'aurait dit... je ne sais pas, moi, un type qui serait à la fois Einstein et Racine ; Einstein et Racine !...

Alors, d'un seul coup je me penche au-dessus de la rambarde, les mains en porte-voix, et hurle :

$$e = mc^2, \text{ mon amour.}$$

Le Livre de Poche s'engage pour
l'environnement en réduisant
l'empreinte carbone de ses livres.
Celle de cet exemplaire est de :

200 g éq. CO_2
Rendez-vous sur
www.livredepoche-durable.fr

PAPIER À BASE DE
FIBRES CERTIFIÉES

Composition réalisée par JOUVE

Imprimé en France par CPI
en février 2017
N° d'impression : 3021791
Dépôt légal 1re publication : février 1983
Édition 36 - février 2017
LIBRAIRIE GÉNÉRALE FRANÇAISE
21, rue du Montparnasse - 75298 Paris Cedex 06